Tout foutre en l'air

Simon Lanctôt

Tout foutre en l'air

Carnets d'un jeune prof

hamac-carnets

Les éditions du Septentrion remercient le Conseil des Arts du Canada et la Société de développement des entreprises culturelles du Québec (SODEC) pour le soutien accordé à leur programme d'édition, ainsi que le gouvernement du Québec pour son Programme de crédit d'impôt pour l'édition de livres. Nous reconnaissons également l'aide financière du gouvernement du Canada par l'entremise du Fonds du livre du Canada (FLC) pour nos activités d'édition.

Hamac est une division des éditions du Septentrion

Chargé de projet: Éric Simard
Révision: Fleur Neesham
Correction d'épreuves: Marie-Michèle Rheault
Mise en pages et maquette de couverture: Pierre-Louis Cauchon
Photographie de la couverture: © Marie-Charlotte Aubin
(mariecharlotteaubin.blogspot.com)

Si vous désirez être tenu au courant
des publication de HAMAC
vous pouvez nous écrire à info@hamac.qc.ca,
ou consulter notre catalogue sur Internet:
www.hamac.qc.ca

© Les éditions du Septentrion
1300, av. Maguire
Québec (Québec)
G1T 1Z3

Dépôt légal:
Bibliothèque et Archives
nationales du Québec, 2013
ISBN papier: 978-2-89448-748-8
ISBN PDF: 978-2-89664-790-3
ISBN EPUB: 978-2-89664-791-0

Diffusion au Canada:
Diffusion Dimedia
539, boul. Lebeau
Saint-Laurent (Québec)
H4N 1S2

Ventes en Europe:
Distribution du Nouveau Monde
30, rue Gay-Lussac
75005 Paris, France

Vente de droits:
Mon agent et compagnie
Nickie Athanassi
173 et 183 Carré Curial
73000 Chambéry, France
www.monagentetcompagnie.com

Merci à D.
Merci aux amis, aux collègues,
aux étudiantes et aux étudiants,
qui ont nourri ces carnets.

À la mémoire de Myriam Savoie.

Prologue

Je ne sais pas si j'ai toujours voulu être prof. Enfant, je voulais être vétérinaire, je voulais adopter un ours polaire, je voulais être un acteur de cinéma, mais je ne me souviens pas avoir rêvé d'être prof. Pourtant, j'aimais beaucoup l'école.

J'avais tout pour devenir un bon enseignant. J'ai réussi à faire passer son cours de physique à ma meilleure amie en secondaire 4, ce qui n'était pas rien; j'ai gardé beaucoup d'enfants, et dans les camps de jour, j'étais un animateur strict, mais aimé des petits monstres. De là à devenir prof, il n'y avait qu'un pas.

J'ai fait mon cégep sur l'erre d'aller, parce que c'est ça qu'il fallait faire après le secondaire, sans savoir ce que je voulais faire plus tard. En sciences parce que j'avais les notes et parce que «ça me gardait des portes ouvertes». Quand est venu le moment de l'inscription à l'université, puisque j'adorais lire, je suis allé en littérature. Mais pendant ma première année d'université, j'ai quand même préparé des auditions pour les écoles de théâtre. Elles m'ont toutes refusé: je ne deviendrais pas comédien. Avec un peu de dépit, j'ai continué mon bac.

Il n'y a pas beaucoup de débouchés pour des Études françaises ; je n'étais pas intéressé par l'édition, j'allais donc devenir prof de littérature.

Pendant et après ma maîtrise, j'envoyais CV sur CV dans l'espoir d'être appelé, interviewé, engagé ; je voyais l'enseignement au cégep comme un idéal, un moyen de m'accomplir ; j'avais envie d'aider les jeunes à apprendre à écrire. J'idéalisais encore le statut du professeur.

Puis, j'ai été embauché.

◡

Enseigner me donne des bouffées d'énergie. Voir les élèves écouter avec intérêt, comprendre ce que j'explique, l'assimiler, apprendre, mûrir, c'est grisant.

Mais l'enseignement a un revers que je ne soupçonnais pas – et je ne parle même pas de la charge de correction disproportionnellement et injustement élevée dans ma discipline, les cours de littérature, qu'on appelle maintenant cours de français.

D'un côté de la médaille, il y a le prof maître de sa classe, en contrôle de ses connaissances et de son cours, qui transmet avec passion. C'est le côté qui me plaît.

De l'autre côté, il y a un ministère bulldozer qui formalise et uniformise, dont les programmes semblent erratiques ; un système kafkaïen où le prof est un numéro rendant d'autres numéros « compétents », les compétences elles-mêmes n'étant que des numéros ; une administration en langue de bois dont la gestion n'a rien de collégial ; un département où il faut discuter et négocier pour trouver les trous dans les programmes, qui nous permettent de rester libres ; un syndicat de gestion où le singulier est conjugué au pluriel, avec ce que ça peut avoir d'irritant ; des structures lourdes, révoltantes, contre lesquelles on se sent impuissant, contre lesquelles *je* me sens impuissant.

Il y a aussi le système qui fait que les jeunes profs commencent souvent en enseignant de soir – sans collègues à qui demander un conseil en passant, sans encadrement ni services pour leurs élèves (pas de centre d'aide en français, par exemple, ni d'aide à celles et ceux qui ont des troubles d'apprentissage, pas de bibliothèque le vendredi soir, pas de semaine de relance, pas de disponibilité rémunérée ni de congés de maladie pour le prof). Si jamais ils développent un intérêt pour la formation aux adultes, comme c'est mon cas, ils ne pourront pas y rester sans être pénalisés financièrement. Ça me scandalise.

Enfin – et cette angoisse m'est peut-être personnelle –, il y a la sombre perspective d'être maintenant un simple engrenage dans la machine : les élèves ne vieilliront jamais, ma matière non plus, il n'y a que moi qui suis condamné à tourner toujours la même chose, comme à vide, pour le reste de ma carrière. Pour les 30 prochaines années. *Gulp.*

Je suis donc dans un rapport d'amour haine avec mon travail : heureux dans ma classe, misérable dans les couloirs, stimulé par les élèves, écrasé par le système, toujours enthousiasmé par la littérature, outré par son absence dans nos programmes (ou, pour être plus précis, par son rôle strictement utilitaire aux yeux du MELS[1]). Trop souvent, mes collègues m'ont vu avec un « air de bœu' », révolté, à vouloir refaire le ministère et le monde avec. Pas drôle, dans l'fond.

Je suis parti voir ailleurs si j'y étais, ça a duré presque trois ans, mais je suis revenu, à Montréal comme au collège. Et le malaise est revenu, à la même place, en même temps que moi.

Depuis, dans mes cours, au fil de mes préparations, de mes corrections, de mes lectures et de mes rêveries, toutes sortes d'idées me passent par la tête, que j'ai envie de crier à tout le monde. Elles sont si importantes, cruciales. Je sens le besoin de tout remettre en question, moi, ma matière, le système, j'ai le besoin de questionner les programmes, les œuvres que je choisis, ma manière d'enseigner et de corriger. Bref, j'ai besoin de tout foutre en l'air.

---

1.   Ministère de l'Éducation, des Loisirs et du Sport.

C'est ça, pour moi, être un jeune prof de soir au cégep.

Mais comment? Harceler la ministre par courriel avec mes utopies pédagogico-littéraires? Envoyer lettre après lettre aux journaux – qui n'ont jamais rien publié de moi? Emmerder trois lecteurs avec un blogue? Crier dans le vide? Oui, c'est ça, je vais aller crier en forêt, où mes discours feront autant de bruit que l'arbre qui tombe quand il n'y a personne pour l'entendre. Ça ferait du bien, mais ne servirait pas à grand-chose. Il faut pourtant que ces frustrations et ces éclairs de génie (!) sortent de moi, pour mon bien-être.

Je pourrais rédiger un long mémoire en langue de bois au sujet de mes éternelles plaintes, avec un plan qui ressemblerait à ça :

I. De l'analyse littéraire
    a. Comment l'analyse littéraire est considérée comme la plus facile des compétences des trois cours de français de la séquence, alors que personne n'a la même idée de ce qu'est une analyse littéraire.

II. Des profs de « français »
    a. Comment les profs des départements de français ont deux disciplines à enseigner, soit la littérature et la rédaction, c'est-à-dire le français

écrit, avec autant d'élèves que leurs collègues d'autres départements, où il n'y a qu'une discipline à enseigner et où la maîtrise du français est quand même importante.

III. De l'Épreuve uniforme de français (EUF)
   a. Comment l'EUF n'évalue plus des compétences nécessaires dans la vie et le marché du travail actuels.
   b. Comment, dans les cours de littérature, la préparation pour l'EUF éclipse à tort d'autres connaissances et approches.
   c. Comment un des trois sujets proposés devrait être une question de philosophie.

IV. De la formation continue
   a. Comment les élèves et les profs de soir sont considérés comme étant de seconde classe.

V. Des langues tierces
   a. Comment un Allemand de 17 ans qui a choisi cette langue à l'école parle français couramment et comment un Québécois dans la même situation en est à apprendre l'alphabet allemand.
   b. Comment le latin peut être un facteur de valorisation des élèves non francophones dans les milieux multiethniques.

c. Comment les enfants d'immigrants devraient bien apprendre la langue de leurs parents au lieu de baragouiner une espèce de calabro-italo-franglais ou d'attendre le cégep ou l'université pour l'acquérir.

d. Non, ça ne nuit pas au français, de maîtriser une troisième langue.

VI. De la formation continue des profs

a. Publications ? Spécialisation ? Comment peu d'espace est alloué aux professeurs du collégial pour poursuivre des recherches et des réflexions autres qu'en pédagogie.

Ça m'ennuie déjà.
Fuck le mémoire.

Alors quoi ? Alors ceci. Depuis plus d'un an, j'ai séparé de mon journal intime tout ce qui avait trait à l'école. J'ai mis ça dans ce que j'ai appelé mes carnets de prof, que j'ai retravaillés et que je vous présente.

Depuis les premières entrées, je suis passé des cours de soir à l'enseignement de jour, et lentement, je m'installe dans le confort du contrat annuel, glissant lentement vers la permanence et vers l'indifférence.

Je sais bien que cette pente n'est pas fatale (celle vers l'indifférence), je vois tant de mes collègues qui, après 15, 20 ans d'enseignement, ont encore une lueur vive dans les yeux, mais je suis encore incapable de vaincre mon cynisme. Je me sens seul et isolé avec mes soucis, j'essaie de ne pas trop en parler pour ne pas être d'une compagnie désagréable, et je continue à déverser mes insatisfactions sur clavier et sur papier.

Plus j'avance, moins je me révolte, plus je me conforme – ce qui ne me réconforte pas. Je continue à faire mon travail, j'essaie de trouver ma voie entre les plans-cadres et la réalité de mes cours. Entre les vacances que nous avons et l'impossibilité d'en profiter – notre contrat de travail nous impose des « disponibilités » que je ne comprends pas. Entre mes rêves d'une carrière parfaite et le fait que n'importe quelle *job* a ses irritants.

Mais même depuis que j'ai un contrat annuel, je me demande encore ce que je vais faire quand je vais être grand.

Quand j'ai les *blues*, je relis les courriels de merci que j'ai reçus des élèves. Quand j'enrage, je me dis d'oublier les programmes, pour donner à mes étudiants quelque chose de moi qui les aidera à grandir – c'est quétaine, mais c'est quand même ce qui me motive. Quand je ne comprends plus rien et suis perdu entre les réponses du syndicat et celles des ressources humaines, je fais des gâteaux, des biscuits, du bouillon de poulet ou des conserves : ça me calme.

Enfin, j'essaie d'appliquer le conseil qu'une amie m'a donné par rapport au système scolaire : il paraît que c'est une conversation à la fois qu'on arrive à changer le monde. Ouf!

Et quand je veux tout abandonner, je prends une longue respiration, je considère faire un doctorat, et j'attends – probablement en corrigeant – que ça passe et que le plaisir de l'enseignement reprenne, pour un moment, le dessus.

Mercredi 8 décembre 2010 (Semaine 15)

J'espère qu'en notant mon chialage dans ces carnets, je vais être moins tenté de changer de carrière et que je vais pouvoir faire semblant que tout va bien, lors des conversations de couloir avec les collègues – car on m'a déjà fait la remarque : « J't'aime bien, mais tu te plains beaucoup. Et si tu continues comme ça, j'sais pas si dans 10 ans, j'serai encore heureux de jaser avec toi. » Le pire, c'est que dans la « vraie vie », je suis quelqu'un d'agréable et de bonne humeur – c'est horrible, ce que l'école me fait.

Les élèves font sortir le meilleur de moi-même... l'administration en fait sortir le pire.

Aujourd'hui, j'ai rencontré un des coordonnateurs du département de français (un collègue prof élu à la coordination par notre assemblée), pour parler, entre autres, de ma tâche de l'hiver qui vient.

Il y a plusieurs scénarios possibles.

D'abord, nous ne saurons qu'en janvier si l'école ouvre un second groupe pour un cours du soir. Si oui, j'aurai alors quatre groupes, mais trois cours différents (trois préparations, comme on dit dans le jargon). S'ils n'ouvrent pas un deuxième groupe (ce qu'ils font toujours, à la dernière minute, depuis que j'enseigne là), j'aurai quatre préparations, donc quatre cours différents, sans recevoir un sou de plus que si je donnais quatre fois le même cours (!). Pour les profs de jour, le nombre de préparations entre dans le calcul de la tâche, pas pour les tâcherons de soir. Nous sommes des profs de seconde classe, je vous le dis !

Ma session actuelle (trois cours et quatre groupes) va assez bien, mais quand je croise des collègues de jour à qui je confie que je donne trois cours différents, ils me regardent avec un air abattu et compatissant. À cause de ces trois préparations, il arrive en effet que je ne sache plus où j'en suis. À force de sauter de Molière à Lionel Groulx, à Dany Laferrière, pour retourner à Racine, je ne suis plus certain de ce que j'ai expliqué à qui : j'en perds le peu de latin qu'il me reste.

Troisième possibilité pour cet hiver : généralement, les inscriptions tardives, les congés imprévus et un nouveau calcul de la tâche font qu'il y a en janvier du travail pour deux profs de jour de plus par rapport à ce qui a été estimé en décembre. En ce moment, deux collègues de jour n'ont pas encore de tâche assignée pour l'hiver ; elles devraient donc enseigner à temps plein de jour à la session prochaine, et moi, je devrai rester de soir. Cependant, si quelqu'un annonçait soudainement sa retraite ou souffrait d'une dépression subite, j'aurais trois ou quatre cours de jour, avec seulement une ou deux préparations. Mais c'est peu probable, *dixit* mon coordo.

Quatrième scénario : une collègue est enceinte, son congé devrait débuter en mars ou avril. Mon coordonnateur calcule pour moi la proportion de Charge individuelle d'enseignement (C.I.) que cela représente. La C.I. est la mesure d'une tâche à temps complet pour un prof de jour ; puisqu'elle est calculée sur une base annuelle, le surpassement de la tâche pour une session signifie une tâche plus légère à la session suivante. Encore une fois, ceci ne s'applique pas aux tâcherons de soir, qui ne sont payés qu'à l'heure de cours, peu importe le nombre de préparations, peu importe la taille des groupes. Pour la dernière moitié de la session d'hiver, j'aurais donc les trois groupes de ma collègue (une préparation). En y ajoutant un seul cours de soir, j'aurais 16 heures de cours par semaine, donc, un temps plein. Mais pour moi qui suis payé à l'heure, ça voudrait dire un salaire de quatre heures par semaine en février et en mars, jusqu'à ce qu'elle accouche. C'est la solution que mon coordo privilégie, mais mon portefeuille est moins d'accord.

C'est un gros jeu de Tetris avec comme pièces les cours, les horaires et le salaire.

Ça, c'est « normal ». Tous les jeunes profs de français passent par là. Tout le monde compatit : « Ça va passer », qu'on me répète depuis huit ans. « Ça va aller mieux quand tu seras de jour.» Ça va aller mieux pour moi, mais la situation n'aura pas changé.

C'est inhabituel qu'un prof engagé en 2003 (moi) n'ait pas encore en 2010 les magiques trois années d'ancienneté qui font «accéder» à l'enseignement de jour sans passer par un remplacement à long terme. Il y a deux moyens pour qu'un prof de soir soit promu au «vrai» enseignement collégial: remplacer une ou un collègue pendant trois semaines ou plus, ou compléter trois ans d'ancienneté. C'est en grande partie la faute de ma bougeotte si je n'avais que 2,83 années d'accumulées en ce jour de novembre dernier où ils ont calculé l'ancienneté. J'avais juste à prendre mon trou plus tôt et ne pas aller vivre à Berlin trois ans; je serais de jour maintenant, et presque permanent.

Mais j'aime enseigner de soir, j'aime cette «clientèle». J'aime qu'ils aient choisi de venir ou de revenir à l'école, j'aime qu'ils aient de l'expérience de vie. Si seulement je pouvais avoir les mêmes conditions de travail que mes collègues de jour! Ça me fait chier, ce «ça va aller mieux de jour». Pourquoi ça ne peut pas aller bien de soir?

Finalement, la solution, c'est moi qui l'ai trouvée. Je vais trahir mes élèves: je me prends trois préparations de soir (donc trois ou quatre cours, selon), et quand ma collègue ira accoucher, un ou deux jeunes profs bouche-trous finiront ma session. Tant pis pour les élèves. C'est plate pour eux de changer de prof en cours de route, et c'est pas très pédagogique, mais le système est fait pour que je m'en câlisse. C'est quand même paradoxal : je suis là pour leur bien-être ou le mien ?

J'aurais envie de laisser passer ce remplacement, juste pour donner mon cours à mes élèves toute la session, juste pour être conséquent avec moi-même. Je ne peux pas vraiment, bien sûr, car sous le « nouveau régime » qui sera en vigueur dès que la convention collective sera signée (celle qui a été « négociée » pendant nos vacances de l'été dernier, pour éviter que nous nous mobilisions, et qui nous fait perdre des avantages), la liste d'ancienneté ne sera plus établie deux fois l'an comme maintenant, mais une seule. Je resterais donc encore deux sessions avec l'ancienneté actuelle (juste sous la barre des trois ans), donc deux sessions encore sans être payé ni pour ma disponibilité, ni en cas de maladie, ni l'été prochain – car les profs de soir n'ont pas ces super privilèges réservés à ceux qui enseignent aux « vrais » cégépiens, à la formation régulière.

Enseigner, j'aime ça. C'est l'école qui me tue.

Samedi 11 décembre 2010

Un des moments que je préfère dans une session, c'est celui après le dernier cours. Après le 103 d'hier, deux ou trois élèves m'ont dit n'avoir jamais eu de prof qui les ait intéressés à ce point au français et à la littérature. C'est bien, entendre ça! Ça compense le système qui me fait sauter les plombs et les certaines bêtises que j'ai entendues il y a quelques semaines.

J'ai, dans mon groupe de 103, une étudiante que j'avais déjà eue la session dernière, en 104[2]. Elle est intelligente – elle le sait un peu trop –, mais négligente. À chaque cours, elle était assise en arrière, avec l'éternel air d'être ennuyée, de tout savoir sur ce que j'enseignais, d'être tellement au-dessus de tout; elle ne participait pour ainsi dire jamais en classe. Même si, dès septembre, je lui ai dit que, pour son exposé oral, elle devait se préparer autrement qu'à la session dernière, pour qu'il soit plus dynamique et intéressant,

---

2. La formation générale de tous les élèves au diplôme d'études collégiales comprend quatre cours de français obligatoires (remarquez qu'on évite de dire «littérature»), dont trois sont dans une séquence (101, 102, 103) qui mène à l'Épreuve uniforme de français (dont la réussite est nécessaire pour obtenir le diplôme). L'autre cours peut se donner avant, pendant ou après la séquence, au choix des collèges. Chez nous, il est à la fin, je l'appelle donc le 104.

elle n'en a rien fait : c'était encore trop lu et trop plate. Sa seconde dissertation critique était faible, et comme elle n'est pas venue en classe aux cours suivants pour avoir mes recommandations, elle a reçu sa copie corrigée le jour de l'analyse finale, à laquelle elle n'a pas pu faire mieux, évidemment !

Le 27 novembre, pendant l'avant-dernière semaine de la session, elle m'a envoyé un très long courriel de bêtises méchantes, où elle détaillait à quel point elle était bonne, à quel point mon enseignement était infantilisant (elle me traitait de clown), comment ses profs en psycho lui disaient qu'elle était surdouée – le tout dans une syntaxe plus que boiteuse et bourré de fautes. Je résiste d'ailleurs à l'envie de joindre sa lettre. C'était blessant ; j'ai décidé de la rencontrer, mais pas dans mon bureau. Devant témoin.

Pendant la rencontre, elle m'a simplement bombardé d'attaques, se posant comme victime, au point où, à la fin, après avoir tenu mon bout, ne serait-ce que sur son trop grand nombre d'absences, j'en tremblais. Celle qui avait été témoin de l'entretien m'a confirmé que l'élève avait besoin d'aide...

Mais revenons à quelque chose de plus heureux, à la joyeuse bulle de la fin de session.

Donc, après le dernier cours, j'aime aller prendre une bière avec les élèves. Hier soir, dernier cours de 103.

C'était chouette, comme d'habitude. Ce que j'aime de ces soirées, c'est qu'elles me permettent de mieux connaître les gens à qui j'enseigne depuis 15 semaines – car, non, après 15 semaines, je ne les connais pas vraiment : je sais quelles fautes ils font ou quel livre ils ont préféré, mais je ne sais quasiment rien d'eux, de leurs intérêts, de leurs aspirations, de leurs convictions. Ces discussions autour d'une bière me permettent d'enfin rencontrer des gens que j'aime déjà et, accessoirement, d'entendre de manière informelle et relaxe ce qu'ils ont pensé du cours.

Meshkat a fait le 103 avec moi l'hiver dernier et le 104 cette session (à l'inverse de la folle) ; il accompagnait des amis à la bière du 103. Il me raconte comment les élèves en sciences considèrent généralement les cours de français comme des cours relax, mais qu'avec moi, ça n'est pas possible. Au sujet de mon 104, il dit à Steve, qui le fera cet hiver : « Tu vas voir, mon homme, il est super cool, le cours. Super intéressant. »

J'en profite pour lui poser quelques questions. Je lui dis que j'ai l'impression de ne pas assez *challenger* les élèves de 104. « C'est moins *rough*, moins raide qu'en 103, mais il y a un peu de travail tout le temps. » Ça me plaît, comme commentaire.

Même si je le connais depuis deux sessions, je ne l'ai jamais vraiment vu comme ça, au naturel, rigolo, plus extraverti qu'il ne l'est en classe. Il est d'origine iranienne et nous raconte une anecdote qu'il a vécue avec ses frères, quelque part en région. La serveuse d'un bar leur a demandé d'où ils venaient :

Eux : De Montréal.

Elle : Non, mais pour vrai !

Eux : De Montréal pour vrai !

Oui, pour vrai ! Meshkat est né ici, et même s'il parle le persan à la maison, il a fait son école en français, il réfléchit en français et parle un français québécois – avec un tout petit accent charmant, même pas un accent, à peine une teinte, une couleur. Les Québécois ont la foutue manie de poser sans cesse cette question, cet énervant « Tu viens d'où ? » Je crois que c'est plus par curiosité que par racisme, mais c'est comme si nous acceptions mal que des gens à la peau un peu plus foncée fassent partie de notre « nous ». Racontée par lui, l'anecdote était plus amusante qu'elle ne l'aurait été par moi, et je regrette qu'il ne l'ait pas mentionnée en classe : nous avons parlé, après tout, du sentiment d'identité des Québécois et des enfants d'immigrants. J'aurais aimé entendre cette réflexion pendant les discussions, puisque c'est justement pour parler de nos mentalités que j'aborde la littérature migrante.

Je lui demande ce qu'il aurait fallu que je fasse pour qu'il me raconte son histoire sous forme de création littéraire pour le travail de session. Il ne le sait pas. Finalement, je le convaincs de l'écrire, *extra curriculum*, pour le *fun*, parce que c'est à ce moment-là qu'on apprend le mieux[3].

C'est cool, ces bières de fin de session, on peut parler du cours sans stress, sans retenue. Ils peuvent être critiques et honnêtes, ou m'avouer ne pas avoir lu une œuvre, sans craindre un échec. On déconne, on parle de cul, on refait le monde.

Claudia, la blonde du Steve susmentionné, a fait cette session mon 103 (avec la folle), et fera le 104 à l'hiver. Sa mère est sud-américaine, son père, italien, et elle a fait son école en partie en anglais, en majorité en français. J'aime bien cette jeune femme. C'est une bonne étudiante, à son affaire ; j'ai hâte de lui enseigner de nouveau et de voir ce qu'elle aura à dire au sujet de son sentiment identitaire.

J'arrête ici le récit de ma soirée, cause fort agréable de mon mal aux cheveux d'aujourd'hui, à moitié parce

---

3. Note de 2012 : S'il s'y est essayé, il ne m'a pas montré le résultat ! Finalement, pour l'hiver 2011, j'ai trouvé le moyen pour que les élèves choisissent la création littéraire comme travail de session : j'ai éliminé la possibilité de faire des critiques et j'ai allongé le travail informatif à huit pages (contre 1000 mots pour la création littéraire), donc il n'y a pas plus de deux ou trois élèves par groupe qui choisissent la recherche.

qu'il serait trop long de tout raconter, à moitié parce que les détails sont un peu flous…

Lundi 13 décembre 2010 (Semaine 15, cours 13[4])

Après-midi

Je ne suis pas du tout fier de moi, pour mon 101. J'ai l'impression de ne pas avoir donné à mes élèves les moyens de la réussite, et pourtant les notes de la deuxième dissertation étaient bonnes. Les notes de l'analyse finale sont bonnes aussi, mais je trouve les copies mauvaises: ma grille de correction est inadéquate. J'ai l'impression qu'il manquera des aptitudes à mes élèves pour réussir le 102. Je m'énerve, tellement je me trouve brouillon et désorganisé. Grrr.

Soir

Je suis abattu et triste. Dans la deuxième partie du cours de ce soir, j'ai parlé des Lumières si vite que ça ressemblait plus à une éclipse. Et demain déjà (car, à cause des fériés et de la grève, le cours 14 a lieu le

---

4. J'inscrirai seulement le numéro de la semaine, sauf lorsque le cours est «en retard» sur la semaine, à cause des fériés, par exemple, dans lequel cas, j'inscrirai aussi le numéro du cours.

lendemain du cours 13), je passerai encore plus vite sur le Romantisme.

J'ai l'impression de ne pas avoir été là, ni fiable ni constant, même si je n'ai pas travaillé moins fort avec eux qu'avec les autres groupes. Je ne suis pas fier de moi, c'est moche.

Est-ce que quelqu'un qui a un travail normal se dit ça, aussi ? Est-ce que si je n'avais qu'un seul cours à donner à quatre groupes, ça serait pareil ?

Mercredi 15 décembre 2010 – Jour de l'Épreuve uniforme de français (EUF)

Ce matin, mes élèves de 103 font l'Épreuve uniforme de français. Je n'ai pas à être là. Mais cette épreuve m'énerve tellement que j'en profite pour chialer.

L'EUF, c'est la grande consécration ministérielle : l'élève doit démontrer son aptitude à suivre la recette formatée que le MELS considère comme un texte bien écrit, sinon, il ou elle n'obtient pas son diplôme. C'est probablement la première chose que je ferais sauter, du moins dans sa forme actuelle, si je devenais un tyran omnipotent responsable de l'enseignement.

Récemment, j'ai dit à mes coordonnateurs que je faisais rédiger l'analyse littéraire de mon 101 à l'ordinateur : je trouve qu'écrire à l'ordi permet d'organiser ses idées plus facilement qu'à la main. Dans la « vraie vie », il n'y a plus de situations où on doive écrire un texte manuscrit en quatre heures, sans ordinateur : c'est une compétence désuète que mesure là le ministère. Cette épreuve date de 1995 et le monde a changé depuis. À l'époque, on avait encore besoin de savoir écrire à la main ; dans la « vraie vie » d'aujourd'hui, soit on a les outils informatiques pour écrire (correcteurs, dictionnaires en ligne), soit on a plus que quatre heures et demie pour le faire (comme dans le cas d'une lettre amoureusement calligraphiée sur du papier parfumé).

Mes coordonnateurs ont vivement désapprouvé mon choix. En faisant cela, je ne donne pas à mes élèves la pratique suffisante pour réussir un an plus tard un texte manuscrit de 900 mots lors de l'Épreuve uniforme de français (à la fin de leur 103). S'ils n'écrivent pas les dissertations à la main dès le 101, ils ne sauront pas développer l'endurance en 102 et en 103. (Dans mon 103, les dissertations sont bien évidemment manuscrites, vu que l'épreuve est immédiatement après – le prof Lanctôt n'est quand même pas si sans-dessein !)

Moi, je dis qu'il faudrait au contraire enseigner aux élèves comment fonctionnent les outils informatiques (certains ne savent même pas ce que signifient les vaguelettes rouges et vertes dans les traitements de texte) qu'ils devront maîtriser quand ils seront sur le marché du travail. L'EUF devrait à tout le moins se faire à l'ordinateur – sans correcteur linguistique, à la rigueur.

Avec cette réaction, c'est comme si les coordonnateurs me disaient qu'absolument tout dans les trois premiers cours de français n'a pour but que la réussite de l'EUF. Crisse d'œuf! (En classe, je fais souvent cette «*joke* de mononc»: «C'est un bel œuf parfaitement formé que vous devez pondre au MELS, mes poules!»)

Au diable la littérature pour elle-même, l'important, c'est la dissertation critique formatée. Pour réussir l'épreuve, l'élève n'a pas vraiment besoin de savoir grand-chose de littéraire. Pour le MELS, il est beaucoup plus important d'utiliser les «d'abord, ensuite, enfin» que d'articuler des idées intéressantes sur l'extrait proposé. Par exemple, l'élève doit savoir identifier et analyser un seul procédé stylistique (une seule métaphore, par exemple) pour satisfaire aux critères du MELS et n'a pas à lier l'œuvre à son contexte. Est-ce que, pour avoir une bonne note, l'élève peut se contenter de dire «l'auteur compare la jeune femme à la fleur» (dans «Mignonne, allons voir» de Ronsard) sans comprendre qu'il le fait pour lui dire de profiter de sa jeunesse? ou sans le lier au *carpe diem* si cher aux humanistes de la Renaissance? Selon moi, c'est insuffisant, mais est-ce qu'on me demande mon avis? Non.

Ça fait que j'sais jamais si je l'enseigne bien, ce cours-là. Et je suis irrité. C'est une foutue épreuve de français, alors que nous, nous sommes profs de littérature! Crisse que j'en ai marre que la littérature soit réduite à un rôle utilitaire.

On arrive à autre chose qui m'énerve.

Le choix de la matière littéraire abordée dans chaque cours relève des collèges, pas du ministère – ses pédagogogues sont-ils seulement sensibles à la beauté de l'Art? Chez nous, le 101 couvre la période allant du Moyen Âge à 1850, alors que certains collèges n'abordent pas du tout cette période.

Pour ma part, cela me réjouit : je crois important d'avoir une idée de ce qui s'est passé avant l'arrivée sur terre de notre petit nombril, et j'aime les classiques. Je présente donc le Moyen Âge, la Renaissance et l'Humanisme (Rabelais), le Baroque (Shakespeare, Corneille, quelques poètes), le XVIIe classique français (Molière, Racine), les Lumières (Diderot), et les romantiques (eux, ils m'énervent, alors je passe plus vite). C'est dur pour des élèves de 101 d'aborder de si vieux textes, mais quand ils les comprennent ou les aiment, ils sont fiers d'eux.

Or, à l'Épreuve uniforme de français, on ne propose... presque jamais de textes de cette période. J'ai hésité dans la phrase précédente. Je ne suis pas pour affirmer ça sans vérifier (j'ai quand même un peu de rigueur). J'ai compilé les textes donnés à l'Épreuve : dans les faits, moins de 10 % des textes proposés depuis 1995 ont été écrits avant 1800 (voir l'annexe 1a).

Donc, selon ce que me dit mon département, passer un cours sur trois à étudier des périodes pas couvertes par l'Épreuve, c'est pas grave, mais écrire à l'ordinateur pour s'aider au début de la séquence, ça l'est. Soupir.

J'ai encore beaucoup de choses à apprendre. Dont la résignation.

Dimanche 26 décembre 2010

Lendemain de *nowelle*, je suis en train de corriger mes analyses littéraires finales – à cause des journées de grève, les élèves ont fini le 23 décembre, et je dois avoir tout corrigé pour le 30. J'en passe trois à quatre par heure, davantage quand elles sont bonnes. Mais plus je corrige, plus je suis confus. Ma grille de correction est inadéquate, je le confirme : des textes moyens obtiennent de bonnes notes. Je ne crois pas que je leur ai bien appris à faire une analyse littéraire. Je veux retoucher mon cours, mais plus je réfléchis, moins je sais comment l'améliorer.

Qu'est-ce qu'une analyse littéraire ? L'analyse littéraire, ou l'explication de texte, celle que j'ai apprise à l'université, est l'étude d'un court texte ou d'un extrait, dans laquelle on fait ressortir comment la manière dont le texte est écrit (le style, la forme) contribue à son sens (le propos de l'auteur, le fond), bref comment le style d'un texte soutient ce que l'auteur a à dire.

Mais si je me crois toujours capable d'en écrire, je doute de plus en plus de ma capacité à transmettre cette aptitude – oh, pardon, cette compétence.

Que font mes collègues avec cette tâche ?

Cette session, je fais faire l'analyse sans poser de question aux élèves, comme je l'ai apprise. Je propose le texte, ils doivent en dégager les idées principales. Certains collègues font-ils aussi comme ça ? Beaucoup posent plutôt une question de départ : comme elle contient généralement sa réponse, ça aide, car il est plus facile de montrer qu'un énoncé est valide que de dégager le propos d'un auteur. Moi, je croyais qu'une question avec un énoncé à démontrer relevait de la dissertation explicative, la compétence du cours suivant, le 102 – que je n'ai jamais enseigné...

Je suis mélangé, mais ça n'est pas le temps pour les questionnements ; il faut que je finisse de corriger.

Lundi 4 janvier 2011 – Vol Montréal Zurich

Mardi 5 janvier 2011

Le prof Lanctôt est en vacances.

J'ai fini de corriger le 30 décembre. Si la session des élèves a duré une semaine de plus que prévu, je n'ai pas eu, moi, de semaine de plus pour corriger – pas même un jour – et la date de remise des notes est demeurée inchangée...

Le 30 au soir, nous avions un souper de famille (mon chum était à Montréal depuis le 22 décembre) ; le 31, c'était la Saint-Sylvestre avec des amis ; le 1er janvier, c'était le party traditionnel du jour de l'an dans la famille étendue, et le 2, le jour pour nous en remettre. Mes vacances ont commencé le 3 janvier et j'ai fait les valises pour notre vol du lendemain, soit hier. Mes cours recommencent le 31.

Que nous sommes gras dur, nous, profs de cégep, qui avons trois semaines de congé en janvier ! Encore plus gras dur, nous, profs du soir qui commençons une semaine plus tard, parce que nous n'avons pas de semaine de relance en mars, et qui passons ce mois de vache maigre à gruger nos économies déjà entamées par les Fêtes !

J'ai donc environ quatre semaines jusqu'au retour des classes. Si je n'étais pas privilégié comme je le suis, je n'apprendrais quels cours j'ai à donner que dans deux semaines. Mais j'ai la chance de savoir déjà que je donne les 101, 103 et 104; j'apprendrai vers la fin de la semaine prochaine s'ils ouvrent un second groupe de 104 ou si j'hériterai d'une quatrième préparation. Et j'attendrai mon remplacement de jour pour laisser tomber mes élèves de soir.

Pour ne pas être pris pour tout faire à la dernière minute – calendrier, plan de cours, cahier de textes –, j'ai déjà commencé la préparation. Donc, il faut nuancer l'affirmation qui ouvre l'entrée d'aujourd'hui: le prof Lanctôt n'est pas vraiment en vacances...

Aujourd'hui, mon chum est retourné au boulot; moi, je me suis mis au travail. La première chose que j'ai faite, c'est de demander à ma coloc de bureau, par courriel, comment elle procède pour l'analyse littéraire en 101: donne-t-elle une question ou non?

Elle s'est étonnée que j'aie fait faire l'analyse sans question. Elle m'a expliqué qu'elle, elle demande à ses élèves de prouver, par exemple, qu'un texte appartient à un courant littéraire: «Montrez que cet extrait d'*Yvain ou le Chevalier au Lion* a les caractéristiques du roman courtois.» L'élève doit chercher dans ses notes les caractéristiques du roman courtois, les retrouver dans le texte, organiser ses idées, puis rédiger.

Je n'ai jamais enseigné le 102, dont l'objectif est d'«expliquer les représentations du monde contenues dans des textes littéraires d'époques et de genres variés », dans une « rédaction explicative d'au moins 800 mots ». Je comprends toutefois que dans une dissertation explicative, on doit expliquer un énoncé. N'est-ce pas ce que ma collègue demande ?

Elle me répond qu'en 101, les élèves doivent démontrer un postulat qu'on leur donne (en leur suggérant un plan de réponse dans notre question – « Montrez que cet extrait d'*Yvain*... »), alors qu'en 102, ils doivent déterminer eux-mêmes si le texte à l'étude possède ou non les caractéristiques qu'on leur demande d'analyser (« Cet extrait d'*Yvain* a-t-il les caractéristiques du roman courtois ? »). Je trouve la nuance fine.

J'ai surtout l'impression que ce sont des concepts précis et qu'ils ne sont pas vraiment définis, donc chacun fait quelque chose de différent.

Je suis allé sur le site du sacro-saint ministère de l'Éducation, des Loisirs et du Sport, voir si je pouvais trouver quelque chose pour m'aider. Mais outre un charabia pédagogique à gogo, il n'y avait rien. *Bullshit*.

Le ministère brode sur la logique présidant la séquence des trois cours, qui permet de passer de l'analyse à l'explication (mais ils n'écrivent pas ce qu'ils entendent par analyse ni par explication), puis de l'explication à la critique. En 103, moi, je croyais devoir leur enseigner la dissertation critique, pas la critique !

Ce sont deux choses fort différentes : dans la dissertation critique, on donne une position argumentée sur une question ; dans la critique, on pose un jugement, souvent esthétique, sur une œuvre. Le ministère ne maîtrise même pas ce qu'il demande aux élèves !

Je pourrais poursuivre mon chialage, mais ce que j'écris m'ennuie tellement que j'en baye aux corneilles.

Je termine l'entrée d'aujourd'hui avec le vœu que la littérature puisse relever des Loisirs plutôt que de l'Éducation – peut-être cesserait-elle ainsi de servir un autre but qu'elle-même.

Je m'en vais profiter un peu de mon congé, plongé le plus complètement dans un livre, le plus loin possible de la pédagogie à gogo, en attendant que mon chum rentre de travailler.

Vendredi 7 janvier 2011

Ah, bravo !

Mon coordo m'a dit au début décembre que deux profs sur la liste de jour n'avaient pas encore de tâche, qu'elles seraient fort probablement pourvues et que je serais celui à qui on proposerait le remplacement de maternité. J'ai arrangé mes flûtes en conséquence.

J'aurais pu prendre mon billet de retour pour le 23 janvier et être à Montréal lors du début de la session de jour. Mais pour profiter le plus longtemps possible de mon amoureux, ici, à Zurich, et faire le plein d'énergie, j'ai pris mon billet pour le 27, pendant la première semaine de la formation régulière, mais quatre jours avant le premier lundi de soir. Je ne suis pas payé pour la préparation : ma première paye arrivera deux semaines après les premiers cours donnés.

Depuis lundi, pendant que mon chum est au travail, je me casse la tête avec mon 101 (merci à ma coloc de bureau qui m'aide à penser par courriel) et je prépare le 104 ; j'en suis à la moitié du boulot.

Sauf qu'aujourd'hui, je reçois un courriel de « bonnes nouvelles ». J'aurais une tâche pleine de jour : quatre groupes de 103, le seul de mes trois cours que je ne viens pas d'améliorer. À l'eau, le travail de toute cette semaine sur le 101. À l'eau, ma préparation du 104. Mais la session de jour commence trois jours avant mon retour : je ne suis pas disponible, je vais devoir refuser.

Ce qui m'aurait dérangé – et ça ne devrait pas –, c'est que plusieurs de mes élèves se sont arrangés pour s'inscrire à mon cours cette session, pour profiter de ma dernière session de soir. Ils veulent faire leur 104 avec moi parce qu'ils ont aimé mes cours et ma manière d'enseigner, et je devrais les laisser tomber ? Je connais plusieurs de ces élèves (Steve, Claudia, Ghada, Carmen, Janni, Francis, Karla, Sébastien) et j'ai envie de leur poser les questions sur l'identité que soulève mon 104. Le système m'énerve.

Lundi 10 janvier 2011

Juin dernier, vol Montréal Londres, en route vers Zurich.

À côté de moi, un jeune homme de 20 ans, qui s'en allait étudier en Suisse. Ses parents ont émigré au Québec alors qu'il avait quelques mois; il a grandi en parlant suisse allemand à la maison et français québécois à l'école. (Nous avons parlé en français, car je ne comprenais rien à son allemand.) Ses parents sont producteurs bovins, et comme ses frères aînés, après son cours secondaire au Québec, il a choisi d'aller faire ses études en mécanique agricole en Suisse.

Pourquoi en Suisse ?

La formation professionnelle – *die Lehre* – y est beaucoup plus poussée qu'au Québec. En Suisse, après six ans de primaire, il y a trois parcours possibles au niveau secondaire. Les élèves plus intéressés par les études vont au *Gymnasium* pour quatre ans, je crois (c'est l'équivalent du lycée français, et de son examen, le baccalauréat). Les autres élèves vont à la *Sekundarschule* ou à la *Realschule* pour trois ans, avec un prof par niveau pour toutes les matières, ce qui sera réformé bientôt (la *Realschule* est pour les élèves qui ont plus de difficultés), puis ils choisissent une formation professionnelle, une *Lehre*, de deux ou trois ans, généralement à raison de quatre jours par semaine en milieu de stage et d'un jour par semaine à l'école. (Les élèves peuvent aussi passer de la *Sekundarschule* au *Gymnasium*, en réussissant l'examen, puis aller à l'université.)

Comme il est interdit d'abandonner l'école avant 16 ans en Suisse – sous peine de voir la police débarquer chez vous –, tout le monde termine son parcours scolaire avec un cours professionnel, sauf ceux qui vont à l'université. Pour travailler, dans n'importe quel emploi, il faut une *Lehre*. Une *Lehre* pour être électricienne, coiffeur, commis d'épicerie, concierge, serveur. Mon chum était bouche bée quand il a appris que chez nous, on peut sortir du secondaire et arrêter l'école sans avoir une formation menant au marché du travail[5]!

---

5. Note de 2012 : Il me fait aussi la remarque qu'on trouve souvent des employés qui ne connaissent pas bien leurs produits dans les boutiques et magasins au Québec. S'il y avait un DEP ou une AEC en vente au détail, par exemple (avec diverses spécialisations, en électronique, en mode, en quincaillerie, en animalerie, en télécommunications, en alimentation), on pourrait avoir davantage de gens compétents – et probablement moins de décrocheurs. Je vous épargne la liste de tous les programmes auxquels j'ai pensé !

Et il semble que le système suisse soit efficace. Je me fie en cela au témoignage du jeune homme dans l'avion et à l'expérience de ses frères. Comme la formation est surtout pratique, les élèves apprennent leur travail sur place, avec les trucs des travailleurs d'expérience. Ils sont apprentis à un poste, puis à un autre, et voient donc plusieurs facettes du métier. Un mécanicien, c'est dans un garage que ça apprend bien, pas sur des bancs d'école. Ses frères qui sont revenus travailler au Québec ont tout de suite trouvé un bon emploi, car ils étaient plus qualifiés que les mécanos de chez nous.

En Allemagne – je connais un peu son système d'éducation pour y avoir vécu –, tout le monde doit apprendre un métier, faire une *Ausbildung* (semblable à la *Lehre* suisse). Le cheminement commun se termine à la dixième année d'école (notre secondaire 4) avec l'apprentissage d'un métier, avec stage. Les élèves peuvent ensuite choisir un cours spécialisé qui dure un an de plus et qui les mènera à une école technique supérieure. Ceux qui désirent aller à l'université passent l'examen du *Gymnasium* vers 18 ans, en ayant fait ou non une *Ausbilgung*.

Ces systèmes scolaires ont deux avantages. D'abord, ils permettent à ceux pour qui l'école n'est ni une force ni un intérêt d'en sortir tôt, tout en étant prêts pour le marché du travail. J'ignore quel est le taux de décrochage en Allemagne ou en Suisse, mais il me semble que les perspectives d'un accès rapide au travail et d'un apprentissage pratique pourraient séduire les garçons de 14-15 ans, qui décrochent tant chez nous. Il y a au Québec le secondaire professionnel, mais il est marginal dans notre système ; il devrait être le parcours de base plutôt que l'exception.

Le second avantage que je vois à un tel système, c'est une main-d'œuvre plus qualifiée : pour devenir fleuriste, par exemple, le candidat doit faire trois ans de formation, plus examens, à la fin de quoi il devient compagnon en fleuristerie. C'est un excellent moyen d'avoir des compétences avancées sans devenir biologiste ou diplômé universitaire en horticulture.

On ne peut pas téléporter un autre système d'éducation au Québec, il faut continuer à faire évoluer le nôtre, mais une chose est certaine : nous avons besoin de nouvelles stratégies, car il est fort carencé...

Mardi 11 janvier 2011

Récompense valorisante !

Je n'ai qu'une seule ancienne étudiante dans mes « amis » sur Facebook : Myriam, une étudiante de l'avant-dernière session, à peu près de mon âge, dyslexique, qui n'avait jamais aimé lire. En vacances, elle m'écrit aujourd'hui qu'elle vient de finir un Marie Laberge de 600 pages et que deux autres volumes d'une série de romans « sont en train de "passer au *cash* " ». Elle me remercie de lui avoir donné le goût de la lecture (et j'ajoute : la confiance en elle).

C'est ça que je veux enseigner, pas les analyses explicativo-dissertativo-critiques.

Mardi 25 janvier 2011 (Semaine 1 de jour)

Depuis quelques semaines, donc, j'en suis à la préparation des plans de cours et des cahiers de textes. Que ceux qui disent qu'on a trop de vacances se taisent : j'ai besoin d'au moins deux semaines de travail à temps complet pour préparer mes cours. Mes collègues de jour, eux, sont en « disponibilité » depuis la fin de l'autre session : ils sont payés pour ces préparations et n'ont pas le droit de prendre des vacances ou de sortir du pays, sous peine de suspension de salaire.

J'ai d'abord complété et envoyé mon cahier de textes. Le service de reprographie n'accepte plus les demandes de nouveaux cahiers par courriel, il faut apporter l'original en mains propres – grrr ! (Pas payé et même pas libre d'être où je veux. Attaché à l'école !)

Je demande à un précieux allié, un employé de soutien avec qui je m'entends bien, d'aller le porter pour moi. Il me revient par courriel : ma bibliographie n'est pas au goût de la dame de la repro. J'avais intégré la bibliographie du cours à celle du cahier, et elle était au début. Je l'ai refaite et la lui ai renvoyée.

Entre-temps, j'apprends que l'ouvrage que je voulais rendre obligatoire en 104, *L'Art invisible,* n'est plus disponible. C'est un essai qui définit la bande dessinée, en bande dessinée – les étudiants de cet automne m'ont dit qu'il serait pertinent que tous le lisent. Même chose pour l'œuvre que je viens d'ajouter en 101 – la traduction de *La Locandiera* de Goldoni par Marco Micone. Tout ça, après que le plan de cours soit parti à la repro...

(Soupir)

Remarquez à quel point c'est idiot que mes collègues de jour n'aient pas le droit de partir en janvier : je suis à l'autre bout du monde et grâce au courriel, je travaille à temps plein. Je ne serais pas plus efficace à Montréal. Pourquoi n'auraient-ils pas le droit d'aller préparer leurs cours les pieds dans le sable, pendant une semaine avant la session d'hiver ?

Parce que le monde normal, avec une *job* normale, est obligé, lui, d'aller au bureau. Faque c'est ben correct de même, que les profs puissent pas partir non plus !

17 h

Oh... vive la merde!

Peu de pièces à l'affiche dans les théâtres mont-réalais cette demi-saison correspondent à notre défi-nition du corpus du 103, c'est-à-dire à la littérature québécoise de 1900 jusqu'à il y a 20 ans. On dirait qu'il y a peu d'intérêt en ce moment pour les jeunes classiques du théâtre québécois : plus de Dubé, de Loranger, de Gélinas sur les scènes.

Je m'étais dit que *Le boss est mort* d'Yvon Deschamps et de Dominic Champagne pourrait au moins me permettre de faire un lien avec l'Ostie d'Show et les années soixante, mais je m'y prends trop tard : il n'y a plus de place.

Le bec à l'eau.

Est-ce parce que j'accumule du mauvais karma en chialant tout le temps ?

18 h

Pour ne pas recevoir D. avec un air bête après sa journée de travail, je suis allé marcher pour m'aérer les esprits.

Mais je n'ai pas fait une promenade touristique : j'ai ruminé, évidemment. Je suis resté près de la maison, dans ce quartier que je connais bien, et men-talement, je suis resté dans mes cours.

Je suis entré dans une librairie de BD et j'ai raconté au patron mon problème : *L'Art invisible* est en réimpression et les Will Eisner[6] ne sont pas disponibles. « Auriez-vous une suggestion ? » Eh non : ce sont *les* livres de référence en matière de bédés. Ils sont bons, clairs, simples...

Je n'arrive pas à savoir pourquoi toutes ces frustrations m'atteignent autant. Qu'est-ce que je n'ai pas que les autres profs ont, qui leur permet de traverser la rue sans manquer de se faire frapper à cause de leurs soucis scolaires, comme il vient de m'arriver ?

Je m'étais dit que j'irais boire un thé ; je l'ai troqué pour un verre de vin. Je suis dans un tout petit bar ; une quinzaine de personnes décompressent de leur journée de travail.

Est-ce que le prochain moment où je serai content de ma *job* sera dans 15 semaines, quand les élèves me remercieront ?

Un de mes collègues d'université vient de laisser son boulot de prof de français au cégep pour devenir conseiller pédagogique. Je ne sais pas ce qui lui a fait sauter la barrière. Sa réponse sur Facebook a été laconique. Peut-être que je ne suis pas le seul insatisfait.

Autre cas, celui de C. En 2003, nos cercles sociaux étaient communs, et il se trouve qu'elle enseignait au collège où j'ai été engagé. Il était toutefois clair pour

6. Considéré comme le précurseur du roman graphique, Eisner a aussi écrit des ouvrages théoriques sur la bande dessinée.

moi que l'enseignement ne lui seyait plus. Mais comment quitter un emploi permanent, garanti à vie, avec pension et tout le reste? Comment avoir le courage, à 40, 50 ans passés, de recommencer au bas de l'échelle dans une autre branche? Elle n'a pas osé, elle a fait une dépression, si bien qu'on ne s'est croisés que pendant une session depuis que j'enseigne là.

Sept ans plus tard, la vie a fait que nous ne nous voyons plus socialement. Mais à l'automne dernier, quand j'ai regardé la liste d'ancienneté du département, j'y ai vu son nom. J'étais perplexe. Je suis content que notre système soutienne ceux qui sont malades et qui ont besoin d'aide, mais je déplore qu'il n'y ait aucune voie de sortie pour les enseignantes et enseignants à qui ça ne va plus. Il faut qu'il y ait une autre solution que prendre des antidépresseurs jusqu'à la retraite.

J'aimerais tellement mieux que C. soit heureuse dans une autre *job*, plutôt qu'en congé de maladie *ad vitam nauseam*.

Ce que je vais écrire semblera cynique, mais est-ce que c'est ça qu'on m'offre comme carrière, prendre mon mal en patience jusqu'à ma permanence, ensuite de quoi je pourrai me taper des *burn-out* jusqu'à la retraite? Après tout, 30 ans de carrière, quand on regarde derrière, ça n'est pas si long (!).

Moi, je ne suis pas capable de me voir là dans 30 ans.

Autre option : continuer à enseigner, espérer que l'énervant « Ça va aller mieux quand tu enseigneras de jour » soit, dans les faits, vrai et prier pour que mes velléités artistiques, faute de devenir de véritables avenues professionnelles, parviennent à calmer mes angoisses.

Mais depuis quand l'art calme-t-il les angoisses des créateurs ? Je croyais que commencer ces carnets m'aiderait à gérer mes frustrations reliées à l'école ; je me demande si ça ne fait pas que gratter l'bobo. Je me sens comme un idéaliste sur le bord de devenir cynique devant un système trop gros, comme un petit démon sans importance qui se débat contre l'inévitable dans la sainte eau bénite du ministère.

Fini, le vin. Je retourne à mon chum.

Mercredi 26 janvier 2011

J'ai presque fini mon cahier de 101. Il me reste à choisir deux ou trois extraits d'*Hamlet* et à formuler des questions d'interprétation des textes, pour aider les élèves à comprendre la situation initiale de leur pièce[7]. J'avance.

---

7. Note de 2012 : Finalement, j'ai oublié d'utiliser en classe ces questions que j'avais préparées…

Sauf pour les poèmes et les extraits de *La Locandiera*, j'ai pris les textes de mon cahier sur Wikisource : il s'agit de textes libres de droits, gratuits. Copier un passage sur Internet, déjà mis en forme, c'est beaucoup plus simple et efficace que de le taper moi-même, de présenter des photocopies trop pâles aux élèves ou de scanner l'extrait et de vérifier la reconnaissance des caractères. Pourtant, j'ai comme une prémonition : ça ne passera pas auprès des droits d'auteur à la repro. J'vais l'envoyer quand même.

Par contre, je viens de décider que mon cahier de 103 restera le même, même s'il est très imparfait. D'la marde.

Demain, je rentre de Suisse.

Dans les faits, ma préparation, je peux la faire n'importe où dans le monde ; y a pas de raison pour que ma convention collective m'enchaîne à mon cégep. J'ai pas moins travaillé à Zurich que je l'aurais fait à Montréal – je crois que ces carnets en témoignent. La seule différence, c'est que j'ai pu aller faire de la luge dans les Alpes une fin de semaine avec des amis[8] et passer mes soirées avec mon chum.

---

8. En passant, la descente seule dure une vingtaine de minutes ! C'était trop génial !

Je trouve ça hypocrite. «Vous êtes libres de gérer votre temps quand il s'agit de corriger les soirs et les fins de semaine, mais pas pendant les semaines sans cours!» Aaargh. Faut que j'arrête de me crinquer. Plus j'essaie d'argumenter, plus je réfléchis, plus ma colère augmente, en même temps que mon sentiment d'impuissance. J'ai toujours été comme ça, avec tout ce qui me paraît une injustice : je m'insurge, ça me bouffe, ça me brûle, et souvent, c'est plus pour des questions de principe qu'autre chose...

Jeudi 27 janvier 2011 – Vol Zurich Montréal (Semaine 1 de jour)

Dans l'avion vers Montréal.

Ah! Quel bordel autour de ma charge de cet hiver!

Vive les nouvelles complications! La collègue enceinte, après deux cours sur trois de sa première semaine (lundi et mardi), tombe en maladie (hier, donc) : maux de dos. Le coordo m'écrit qu'il fait une exception et m'offre le remplacement. Une exception? Il est obligé de me l'offrir! Il dit que je ne suis «pas disponible». Je lui ai écrit que je rentrais aujourd'hui, le cours de ma collègue est demain, je suis disponible. Il n'y a pas d'exception à y avoir, je serai au poste.

Mon coordo me dit de lâcher le 101 et le 103 du soir, de garder mes deux groupes de 104 et de prendre tout de suite le rythme de cinq cours par semaine qui était prévu pour la fin de la session.

J'écris à ma collègue, elle me répond : son congé n'est que de deux semaines et il se peut bien qu'elle revienne travailler avant le congé de maternité en tant que tel. Si elle revient, je tombe à deux cours par semaine pour un mois, un mois et demi (c'est-à-dire qu'il ne me reste que mes deux 104 de soir) – je peux encore manger, ça va.

Je suis frustré de ne pas donner le 101 que je viens de mettre deux semaines à préparer. J'aurais presque envie de faire ma tâche pleine de soir, plus les deux semaines de remplacement. Mais ça serait trop, ça me ferait sept cours de quatre heures par semaine. Je grogne.

Je trouve que ma *job* est compliquée, qu'elle m'apporte vraiment beaucoup de soucis et de tracas même pas liés avec ce pour quoi on me paie. Je suis content de gérer mes tracas pédagogiques, mais les bureaucratiques, pas mal moins – et j'ai jamais vraiment aimé les grosses boîtes où je ne suis qu'un travailleur anonyme. En ce moment, je trouve ça lourd, être prof : chaque détail m'énerve et tout m'irrite.

Je pense que je devrais aller voir un orienteur, plus tôt que tard, pour essayer de me trouver une nouvelle carrière.

Vendredi 28 janvier 2011 (Semaine 1 de jour)

8 h 15

Après mon réveil, vers 7 heures, pour aller faire pipi, ma tête s'est tout de suite mise à penser à l'école et je n'ai pas pu me rendormir.

Je vais devoir trouver un moyen de gérer mon humeur cette session, car ça commence mal. Une amie m'a rabroué hier, en me disant qu'elle aimerait aussi avoir le luxe de se plaindre et d'être de mauvaise humeur, si ça lui permettait de voyager comme je le fais. Il n'y a rien à répondre à cela, je dois fermer ma gueule.

Alors, je vais donner cinq cours en trois jours (lundi, mardi, vendredi). Le pire sera les mardis : le cours de la collègue enceinte de 14 h 20 à 18 heures, mon cours à moi de 18 h 05 à 21 h 40. Je vais surtout devoir travailler fort et garder pour moi mes grognements. Le truc serait peut-être de faire comme à la session dernière, de voir moins de monde, de ne pas trop me donner la chance d'énerver mon entourage. Probablement que faire du sport aiderait. De la méditation ? On verra.

Un peu avant 18 h

Les quelques heures passées à l'école ce matin avant d'entrer en classe ont été périlleuses. J'ai tout fait pour ne pas trop laisser paraître la mauvaise humeur avec laquelle je me suis levé, je me suis épanché auprès de deux ou trois oreilles sûres, et j'ai préparé mes trucs en prenant sur moi, les dents serrées.

Comme ma collègue enceinte n'a pas vu son groupe du vendredi, elle ne leur a pas donné son plan de cours, et ils n'ont pas acheté les œuvres qu'elle a mises au programme. Je me suis entendu avec elle pour leur présenter le mien, à la place. Si elle devait revenir quelques semaines, je lui préparerais des activités faciles à donner. Donc, cette session, je donnerai trois fois par semaine mon contenu, deux fois le sien. Ça sera plus facile pour moi que l'inverse.

Comme prévu, en classe, ce que j'ai présenté aux élèves a été bien accueilli. C'est le cours « Littérature et culture contemporaines » : du côté de la culture, je leur fais découvrir le roman graphique et la bande dessinée actuels ; du côté littéraire, on parle d'identité et de littérature migrante. Être avec les élèves m'a fait oublier ma mauvaise humeur.

Petite question pas rapport qui m'est passée en tête aujourd'hui : quand on sait qu'une prof enceinte partira à la semaine 6 ou 7, pourquoi ne pas lui offrir un dégagement, un poste administratif pour ces six semaines, au lieu de déranger tout le monde ?

Ça serait probablement trop penser aux élèves et trop compliqué. Alors si elle revient, les élèves auront eu le premier cours avec elle, deux ou quatre avec moi, deux ou quatre avec elle, et les évaluations finales avec moi. Ça rime à quoi ?

Mais à part quelques profs et les élèves, ce problème ne dérange personne.

Dimanche 30 janvier 2011

Ma rencontre avec la collègue que je remplace a bien été. Nous avons passé presque deux heures ensemble, où elle m'a expliqué ce qui est au programme, quelles sont les évaluations, sous quelle forme, etc. Quand j'ai lu, dans les papiers qu'elle a déjà distribués aux élèves, que le cours porterait sur la mémoire des grands crimes du XXe siècle, thème marquant dans l'art contemporain et dans la littérature (c'est aussi « Littérature et culture contemporaines »), j'ai pensé : « Quel sujet lourd ! » Mais au moins, le cours est bien plus intéressant que ne laissait supposer ce que j'avais lu.

Surtout, cette rencontre m'a calmé.

Maintenant que ma charge devrait cesser de changer, maintenant que la session est commencée, maintenant que je connais un peu mon nouveau cours, je suis moins en colère. Les élèves auront demain leur cours 2, il faut qu'on commence la matière. Aujourd'hui, j'ai donc passé quelques heures à lire les textes de référence, à préparer mon exposé et les questions du travail pratique (TP). Je ne suis plus amer et frustré comme par les semaines passées.

Je suis quand même nerveux. Je suis convaincu déjà d'avoir trop de matière pour demain, je n'ai toujours pas choisi le texte qu'ils devront lire pour la semaine prochaine, mais je ne panique pas, ça ira.

Mardi 1er février 2011 (Semaine 2 de jour, 1 de soir)

Autre différence entre la première classe de profs et les profs de soir : la rémunération. Les profs de jour sont payés le jeudi pour la période qui se termine le lendemain. S'ils sont malades, leur banque de maladie et leur devoir de reprendre le cours compensent (*dixit* les Ressources humaines). Les profs de soir, eux, doivent signer une feuille de temps et attendre leur argent deux semaines. Si nous sommes malades, personne ne nous remplace... ni ne nous paie. (Pas de congés de maladie : une vraie McJob, crisse !)

23 h

Aujourd'hui, premier de 14 doubles *shifts*. Je suis fatigué, mais ça a bien été. Dans mon groupe de ce soir, cours 1 : présentation du plan de cours. À la ligne

« disponibilité », j'ai inscrit « aucune » et j'ai expliqué que si je ne suis pas payé pour le faire (comme tous leurs profs de soirs), je ne peux pas leur offrir de disponibilité. J'ai dit que je souhaitais qu'ils aillent tous se plaindre à leur API[9].

J'ai quand même dit, évidemment, que je pourrais les rencontrer, à telle et telle plage horaire. Ils avaient l'air de me soutenir dans mon petit acte de résistance. Cool.

Jeudi 10 février 2011 (Semaine 3 de jour, 2 de soir)

J'avais espéré que ma première paye soit aujourd'hui, mais on dirait que ça sera la semaine prochaine. Il me reste 100 piasses et mon cochon.

À cause des journées de grève de la session dernière, j'ai fini plus tard, et ma dernière paye, petite, est arrivée vers le 13 janvier. Si j'avais pu réclamer de l'assurance emploi, je serais sur le point de recevoir le premier chèque, même si ça fait deux semaines que je travaille.

Être précaire, c'est chiant dans tous les métiers.

9.   Aides pédagogiques individuels. Je ne sais pas à quel point ils peuvent être individuels, au nombre qu'il y a pour tout un collège !

Aujourd'hui, la collègue que je remplace va voir son médecin. Je vais savoir en rentrant ce soir si elle revient quelques semaines ou non.

Mardi dernier, pendant les 15 minutes entre mes deux cours, j'ai croisé un grand nombre de mes élèves de 101 de la session dernière, qui s'en allaient à leur second cours de 102. Ils se sont plaints de la lourde charge de lectures. Ceux que j'ai croisés en soirée, à la pause et après le cours, sont accourus : « Simon, on s'ennuie de toi ! » Leur prof de cette session est nouveau au département – c'est structurel que les élèves de soir aient les profs sans expérience – et il leur a dit ne jamais avoir enseigné de soir. Peut-être a-t-il déjà enseigné de jour dans un autre collège ou à l'université ; peut-être n'a-t-il jamais enseigné du tout. Je ne le connais pas. Certains se sont plaints qu'il est beaucoup moins dynamique que moi et qu'il n'a pas su les garder intéressés. Ils disent qu'il ne comprend pas qu'ils arrivent à l'école déjà fatigués par leur journée de travail et leurs obligations familiales. Je leur ai dit de lui donner sa chance. J'espère qu'il parviendra à les accrocher.

Tout à l'heure, dans le métro, une femme à côté de moi lisait un article sur les principes et les orientations du Québec par rapport à la formation des adultes (dans un cahier de photocopies, probablement pour un cours à l'UQAM). Je n'ai pas osé la déranger, lui dire que je lisais par-dessus son épaule et lui demander pourquoi elle lisait ce texte. Je ne le saurai donc jamais. D'après ce que j'en ai compris, l'auteur disait que la formation continue devait viser davantage que la simple réorientation professionnelle en vue de l'emploi : elle devrait être plus générale.

C'est pas en empêchant les profs de faire de la formation continue un choix de carrière, c'est pas en considérant les élèves comme des clients à qui on n'offre pas de services ni de véritable voix dans l'association étudiante, c'est pas en gardant cloisonnées les formations régulière et continue, qu'on va se donner les moyens de dépasser l'apprentissage du métier et de viser l'enseignement citoyen. Les profs de soir pédalent pour offrir à leurs élèves les meilleurs cours possible, mais plusieurs de ces élèves raccrocheurs auraient quand même besoin de pédagogues plus expérimentés.

Dernière chose pour aujourd'hui : j'ignore quelles conséquences cela aura, mais je sais qu'au moins deux élèves ont signifié à leur API leur insatisfaction relative au fait que je ne donnais pas de disponibilités. Le premier m'a rapporté que son API entendait pour la première fois quelque commentaire à cet effet et elle l'a renvoyé au coordonnateur de mon département. Mon coordo ne pourra rien faire. J'ai donné à l'élève le nom de la responsable du service de la formation continue. On verra jusqu'où ça ira. Francine, elle, a envoyé un courriel à l'aide pédagogique responsable

des élèves de soir, mais elle est peu satisfaite du service offert – l'API serait peu disponible. Francine
attend une réponse, mais n'a pas vraiment confiance
d'en recevoir une.

Je suis content qu'ils me montrent ainsi leur
appréciation et leur respect pour mon travail. Ça fait
changement des patrons qui, eux, semblent s'en foutre.

Lundi 14 février 2011 (Semaine 4 de jour, 3 de soir)

Vers 11 h
Il y a des jours comme ça où on a un léger mal de
tête, où les étudiants restent plantés dans les esca-
liers mécaniques (ça, c'est tous les jours), où rendu
au bureau, on s'aperçoit qu'on a oublié le calendrier
modifié sur son ordi et son téléphone à la maison (qui
sert de montre, parce que nos salles de classe n'ont
pas d'horloge). Rien de grave. Juste bof.

Aujourd'hui, je vois le groupe du lundi pour une
seconde fois seulement, puisque j'étais malade la
semaine dernière. Je suis curieux de voir s'ils seront
plus vivants et dynamiques que ce que je perçois pour
l'instant des élèves de jour, moins intéressés, moins
impliqués que ceux de soir.

Plus tard, entre mes deux cours, j'ai rendez-
vous avec Nada (une élève douée, fille d'immigrants

algériens, si je me souviens bien). Je lui ai enseigné pendant les deux dernières sessions, de soir. Nous discuterons de la possibilité de retravailler ses textes de création écrits dans mes cours pour les publier dans la collection de premières publications d'étudiants au collège, Prise Un. Je ne suis pas payé pour rencontrer une élève de soir, mais je ne peux quand même pas tout faire juste pour le salaire! Je trouve ça important d'encourager, de motiver, de soutenir les élèves, et ça me fait vraiment plaisir[10].

14 h

Mes élèves sont en train de faire leur TP; moi, je n'ai rien à corriger. Je m'ennuie et j'écris.

Ma collègue enceinte, passionnée d'arts visuels, a choisi le devoir de mémoire comme fil conducteur de son cours. Elle avait prévu pour aujourd'hui une présentation sur l'art visuel contemporain, notamment sur plusieurs monuments commémoratifs, qui mettent en question le rapport à l'Histoire et au devoir de mémoire, car ils commémorent notamment des guerres et des génocides pour qu'ils ne se répètent pas. Je ne connais rien à l'art contemporain; ça serait perdre le temps de mes élèves et le mien que de préparer un exposé là-dessus. Je remplace donc le volet

---

10. Note de 2012: Finalement, son projet n'a pas abouti.

culture par le cinéma et la bande dessinée, dont on parlera plus tard cette session, et je remplace ses exposés sur l'art contemporain par des cours sur quelque chose que je connais bien : l'Allemagne. Aujourd'hui, j'ai parlé de l'histoire de Berlin (j'ai même digressé sur l'influence du français dans le dialecte berlinois), je leur ai montré des mémoriaux et j'ai présenté divers débats sur la mémoire dans la capitale allemande (mémorial de l'Holocauste, polémique sur celui des homosexuels, aussi victimes des nazis, mémoire du mur, de la RDA, reconstruction du château).

C'est dur de faire parler les élèves. Je pose une question, et même s'ils ont l'air d'écouter ce que je dis avec un certain intérêt, ils restent muets comme des carpes et évitent mon regard quand il s'agit de répondre. Je reformule, j'essaie de les provoquer, je les interpelle et leur demande directement leur opinion : « Oui, vous, vous en pensez quoi ? Est-ce qu'ils devraient reconstruire le château même s'ils n'ont plus de roi ? » Finalement, à force de les crinquer, je suis parvenu à les faire discuter – même que ceux de ce matin ont plus parlé que ceux de mardi dernier.

En fin de compte, la discussion a été assez intéressante : ils se sont sentis interpellés par la problématique, malgré leur air blasé.

Je suis content, mais j'ai quand même encore un peu mal à la tête.

18 h 30

Nouvelles. Décrochage scolaire. Vingt-huit pourcent des gens n'ont pas de diplôme d'études secondaires. Un tiers de la population n'a pas appris de métier. Ça n'empêche pas que ces gens soient heureux, mais c'est pas comme ça qu'on fait une population riche, saine et compétente.

Le *Téléjournal Grand Montréal* de 18 heures présente une école d'Hochelaga-Maisonneuve qui fait une sortie musicale hebdomadaire. Les enfants vont jouer des percussions. « Il faut leur offrir un projet plus grand [que le simple cadre académique]. » Les enfants avaient l'air de beaucoup en profiter. Ça fait du bien, des bonnes nouvelles ! Bravo !

Mardi 15 février 2011 (Semaine 4 de jour, 3 de soir[11])

Midi

Devant moi, le long mardi avec deux cours (différents) collés. Je suis très peu enthousiaste : ça doit être le métier qui rentre.

---

11. Si je continue à indiquer le décalage entre le jour et le soir, c'est pour vous montrer que c'est toujours un peu « gossant », être à cheval sur deux calendriers.

Le soir

Ironie. Juste avant mon cours de l'après-midi, je vais à la direction pour porter ma feuille de réclamation de temps et je demande à la préposée si ma paye arrivera cette semaine. J'apprends que les profs de jour ont été payés la semaine dernière. Mes heures de soir seront payées à la prochaine paye, mais les heures de jour auraient dû l'être à la dernière. Je ne sais pas trop quoi faire, je suis cassé, mon cours commence et j'ai encore la moitié du cégep à parcourir. Je dois partir, elle est encore au téléphone.

Elle m'a laissé un message en après-midi : la semaine prochaine (du 24 février), toutes mes heures depuis le 28 janvier me seront payées. Mon dossier était tombé dans les trous du système quand j'ai changé de statut.

Une chance qu'on m'a remboursé un peu d'argent qu'on me devait et que la paye arrivera à temps pour le loyer ! En attendant, je vais m'arranger.

Jeudi 17 février 2011 (Semaine 4 de jour, 3 de soir)

19 h 40
(Dans le lobby de l'Espace libre)

J'attends que commence un spectacle que je n'ai pas choisi et que je n'aurais probablement pas choisi non plus. Le descriptif ne m'interpelle pas du tout (je vous épargne le titre, puisque je n'ai pas grand-chose de bon à dire de la pièce). Je croise une collègue, je ne réussis pas à taire mes éternelles plaintes sur le système, ni à répondre simplement « oui » à sa question, qui est davantage une exclamation : « Alors, content de la tâche de cet hiver ? »

Je me sens peu social, sauvage ; je ne voulais pas sortir de la maison. Je salue les étudiants de la tête, mais n'ai pas envie de me mêler à leurs conversations, alors j'écris dans mon cahier avant que le spectacle commence.

22 h
(À la maison)

Après le spectacle, j'ai parlé avec quelques élèves en marchant jusqu'au métro, c'était rigolo. La majorité n'a pas vraiment compris le spectacle. C'était plus de la danse que du théâtre à mon avis. Le texte était décousu, il n'y avait pas d'histoire. Ça évoquait vaguement l'eau et le fleuve. Je n'arrive pas vraiment à en dégager un propos, et ça ne m'a pas fait vivre d'expérience esthétique. Il y a tout de même de quoi avoir une discussion intéressante en classe. Je n'ai pas vraiment aimé, mais c'est pas grave ; comme je le dirai aux élèves, il faut aussi voir, lire, entendre des mauvaises œuvres pour former son bon goût.

Avec la collègue, avant la pièce, j'ai parlé de la semaine contre le décrochage scolaire, qui a lieu cette semaine et qui a changé de nom cette année. Justement, elle me dit qu'on n'arrivait pas à trouver un nouveau nom, à connotation positive. Semaine de l'accrochage scolaire? du restage à l'école? ah non, de la persévérance scolaire! Au lieu de diminuer le nombre d'élèves par classe, de créer plus de programmes courts et concrets pour les ados, ou d'en faire qui permettent aux profs d'enseigner ce qu'ils aiment, ces chers pédagogues-bureaucrates perdent leur temps et notre argent à penser à des campagnes de pub. Voir qu'une semaine de promotion est ce qui va garder un ado à l'école! Qu'ils sont déconnectés, à se gargariser de leurs bonnes intentions!

Donc, vive la persévérance scolaire! Et si vous revenez étudier au cégep de soir (parce que vous avez un parcours atypique, parce que vous avez décroché, parce que vous voulez vous réorienter), on va prendre votre argent avec plaisir, mais sans se fendre en quatre pour vous aider à réussir. On se fout de ceux qui reviennent étudier dans le sentier hors-norme et ténébreux de l'école de soir. Après tout, aux yeux du monde, surtout des journalistes, des politiciens et des autres consommateurs de statistiques, vous serez des décrocheurs toute votre vie. Maudites étiquettes.

Lundi 21 février 2011 (Semaine 5 de jour, 4 de soir)

Hier soir, j'ai raconté à des amis la saga de mon automne et tout le Tetris avec les cours – de jour, de soir ; un groupe, trois groupes, quatre groupes, pour finalement en avoir cinq. Ils n'en revenaient pas : « On dirait la même situation qu'une jeune infirmière sur appel qui essaie d'avoir une tâche pleine ! » Ce sont des Français, à Montréal depuis 15 ans pour l'un, 5 pour l'autre. L'un d'eux est prof de latin et de littérature à l'Université de Montréal et me répète que je devrais faire mon doctorat et aller enseigner à l'université.

Il me demande : « Dans combien de temps seras-tu permanent ? » Ça dépend des retraites et je n'ai pas envie d'en faire le décompte. En France, deux ans après avoir réussi le concours, un prof a la sécurité d'emploi à vie. Mais leur système a d'autres inconvénients.

« Tu gagneras combien par année ? » À cause de mon parcours étrange, j'ai gagné pour la première fois de ma vie l'an dernier plus de 30 000 $. Trente-cinq mille à trente-cinq ans. Au max de l'échelle, avec un doc et un siècle d'ancienneté derrière la cravate, j'arriverai(s) à 75 000 $. (Ça va être long avant de pouvoir me financer une maison !) À l'université, ça dépasse les 100 000 $. La perspective de continuer à voyager et d'augmenter mon train de vie vaut-elle l'énergie que demande un doctorat et la *game* des universités?

En fin de soirée, un peu avant mon départ, mon copain latiniste me parle d'un ouvrage (datant de je ne sais plus quand) qui voulait offrir une seule explication grammaticale pour toutes les langues. Ça n'était qu'une tentative, avec ses faiblesses, mais c'est intéressant. Le sujet en est venu à la «réforme» de la grammaire adoptée par le ministère – celle qui enlève l'objet des COD et des COI, qui transforme les compléments circonstanciels en compléments de phrase, qui fait que le conditionnel n'est plus un mode verbal, qui éclate le concept de phrase, qui élimine les propositions, qui éloigne en un mot la grammaire française enseignée au Québec de celle des autres langues. Les langues modernes européennes ont dans leur grammaire les mêmes fonctions qu'en français: l'allemand, par exemple, parle de *direkt Objekt* et d'*indirekt Objekt*, ce qui se comprend bien quand on a appris la grammaire d'avant les pédagogues à gogo.

Tout ça, pour «faciliter» la langue. Mais ne nous leurrons pas: le souci des bureaucrates n'est pas de donner un meilleur accès aux ressources langagières, mais seulement d'essayer d'augmenter les taux de réussite. *Fuck* le sens et vive la forme!

Les élèves qui arriveront au cégep dans les prochaines années auront appris une grammaire que je ne connais pas – et que je n'ai ni envie ni besoin de connaître.

(Je suis en cours, les élèves viennent d'écouter un documentaire de l'ONF sur la réouverture de l'Opéra Semper à Dresde en 1982. Dresde a été rasée par les alliés en 1945, mais la ville baroque a été reconstruite, selon les plans, avec un mélange de matériaux originaux et de nouveaux. Je leur présente le débat actuel là-bas, où la construction d'un nouveau pont pour désengorger la circulation au centre-ville fera perdre à la ville son statut de Patrimoine mondial de l'UNESCO. Les élèves lisent un texte pour faire le travail pratique. Ils n'ont pas l'air trop intéressés par ce sujet ni par le Patrimoine mondial.)

On a donc adopté cette grammaire réformée pour « faciliter » la vie aux élèves – et je ne parle pas de la réforme de l'orthographe, entreprise, elle, en collaboration avec la France, la Belgique et la Suisse pour régulariser l'orthographe française. Je parle uniquement de la réforme terminologique de la grammaire au Québec.

La grammaire est chose politique et l'a toujours été. Richelieu a fondé l'Académie française pour renforcer le pouvoir de Louis XIII, et ce n'est pas pour rien que c'est le dialecte de l'Île-de-France qui est devenu le français normatif. Cette réforme-ci sert la réussite, une banale statistique. Rien d'autre. Oh si, peut-être sert-elle aussi à justifier des *jobs* de ronds de cuir. Ils se disent : « Tout le monde trouve que le français est dur à écrire, on doit régler ça ! Si tout le monde réussissait l'épreuve du cégep, tout irait mieux. Pour ça, il faut qu'ils fassent moins de fautes [pas qu'ils aient quelque chose à dire, ça, ça leur est égal]. Et pour qu'ils fassent moins de fautes, euh, qu'est-ce qu'on peut faire ? » Augmenter le nombre d'heures de cours en français, encadrer ceux qui comprennent mal, diagnostiquer mieux les dyslexiques et les aider ? Non, trop compliqué, trop cher, trop de monde à convaincre. « À la place, nous, du haut de nos connaissances de l'"apprenage", on va arranger la langue pour que nos élèves décrochent moins, on va réduire le nombre d'exceptions, pis après, tout le monde va bien parler et bien écrire au Québec ! »

Vive les lunettes roses, calvaire ! C'est pas une « réforme » de la grammaire qui va faire que le monde va dire « la lettre que j'ai écriTE » ou « Annie s'est assiSE ». Pis c'est pas en transformant le conditionnel en temps de verbe que le monde va arrêter de dire « si j'aurais » ! (En passant, le mode indicatif est là pour indiquer des faits, le conditionnel relate ce qui pourrait exister si une condition était remplie. « J'irais » n'est pas un fait, ça n'a pas d'affaire dans l'indicatif, *gang* de tatas.) Ce qu'ils ont fait là, c'est mettre un *plaster* sur une carotide qui saigne, c'est retoucher un

Picasso pour qu'il *matche* avec la déco, c'est essayer de mettre la population en forme en leur faisant écouter les Olympiques à la télé.

Pour aider les élèves à mieux écrire, on devrait réduire le nombre de fonctionnaires au MELS.

Je lis quelques explications au sujet de cette nouvelle grammaire[12]. Elle a été développée par des didacticiens (soupir) et des linguistes. On dit qu'on désire axer la grammaire davantage sur les aspects généraux que sur les exceptions. Mais... j'ai toujours fait ça! Même avec la «vieille» grammaire! Pis de toute manière, plusieurs de leurs changements n'ont rien à voir avec ces fameuses exceptions qui semblent obséder tout le monde.

Prenons un exemple: dans «Je vais à Paris.», avant, «à Paris» était un complément circonstanciel de lieu – c'est-à-dire qu'il complétait le verbe en lui ajoutant une circonstance, de lieu. Maintenant, c'est rendu un complément indirect du verbe. L'objet est ce qui est affecté par l'action du verbe (causée par le sujet). Dans «Je parle à Nicolas», Nicolas est touché par l'action du verbe parler, qu'il écoute ou non. Mais Paris n'est pas affecté par ma visite. C'est simplement

---

12. Centre collégial de développement de matériel didactique, «La Grammaire en questions», *CCDMD* [En ligne], http://ccdmd. qc.ca/carrefour/faq/faq00.html (consultée le 21.02.2012).

le lieu où aboutira mon action, ça n'a pas d'affaire à être un COI[13]. Me semble que c'est pas si compliqué! Me semble qu'y a pas d'exception là-dedans!

En enlevant le mot *objet* de ce qu'on appelait le complément d'objet indirect, les obsédés de la réussite transforment «à Paris» en CI (complément indirect), sans égard au sens: ça devient juste un complément indirect parce qu'il est introduit par une préposition, sans plus de distinction quant à sa relation au verbe, c'est-à-dire si c'est une circonstance ou un objet. Encore une fois, les connardes et connards du MELS se foutent du sens et ne pensent qu'à la forme. Est-ce qu'il faut à chaque fois réinventer le bouton à quatre trous?

Les élèves finissent leur travail, je retourne à mon cours.

Mardi 22 février 2011 (Semaine 5 de jour, 4 de soir)

Soir
Je n'ai pas poursuivi mon argumentation d'hier sur la grammaire parce que ce sujet me lasse. Quand je

---

13. De plus, en latin comme en allemand, le complément circonstanciel de lieu n'est pas décliné de la même façon selon qu'il traduit un mouvement par rapport au lieu ou un lieu où une action se déroule, ce que le français n'a plus. En perdant le complément circonstanciel, on s'éloigne des autres grammaires.

cherche des arguments pour appuyer mon opinion, je me donne l'impression d'être un vieux radoteux réactionnaire qui argumenterait n'importe quoi, juste pour entendre sa voix, ou pour avoir raison et pour préserver la beauté archaïque du français qu'il a appris à la sueur de son cours classique : « Si moi, j'ai pu l'apprendre, les jeunes d'aujourd'hui le peuvent aussi. » Et ça m'ennuie, ça m'emmerde : j'aurai jamais raison.

De toute façon, si je devenais ministre, ça ne serait pas ma première réforme, parce que des va-et-vient dans un système d'éducation, c'est pas constructif.

Quelle journée aujourd'hui. Un long mardi. C'était le cours 5 cet après-midi, il me reste donc 10 doubles *shifts*.

J'essaie d'arriver à l'école une heure avant mes cours pour pallier les retards possibles dans le transport et finaliser les préparatifs, mais surtout pour avoir le temps de préparer mon thé et de relaxer avant le cours, pour ne pas arriver en classe tendu. Aujourd'hui, pendant cette heure, je passe voir les coordonnateurs pour une petite question.

Le coordo m'explique d'abord longuement toutes les modifications à la plateforme informatique du collège, qu'ils ont présentées à la dernière assemblée départementale – j'ai pas envie d'entendre ça maintenant, ni le temps. On arrive enfin à ce pour quoi je suis là : le projecteur complètement déglingué dans le local où je donne trois cours par semaine. Je veux savoir quoi faire avec mes commentaires : je les transmets directement à l'audiovisuel ou je passe par le département (ce qui me semble moins efficace) ? Le temps file, il ne me reste que 10 minutes avant mon cours.

Finalement, le coordo m'explique que le département consigne les demandes et les présente périodiquement, sinon l'audiovisuel se met à les bouder ou quelque chose comme ça. La procédure officielle est donc la plus bureaucratique et la moins efficace des deux options. (Soupir) Je cours au premier cours, je cours entre mes deux cours.

Ce soir, dans ledit local au projecteur déglingué, je fais ma présentation diapo sur la postmodernité. Pour présenter ce courant artistique des années 1990-2000, je remonte jusqu'au XIXᵉ siècle. Je pars du romantisme pour montrer comment se sont succédé les courants artistiques en architecture, en peinture, en littérature. Quand je montre des tableaux impressionnistes, pour passer du XIXᵉ au XXᵉ, l'écran présente des couleurs tellement décalées que je me vois obligé de dire : « *Impression, soleil levant* de Monet : non, sur l'original, le soleil n'est pas noir et ça n'a pas l'air d'un décor postapocalyptique. » C'est le comble. J'ai dû retourner l'écran d'ordinateur vers les élèves pour qu'ils comprennent quelque chose au tableau. (Et je vous passe l'effet que le projecteur a eu sur les tableaux fauvistes!)

À la vitesse où mes commentaires se rendront à l'audiovisuel, je suis mieux de ne pas trop avoir besoin du projecteur data d'ici la fin de la session (et j'espère qu'il n'y a pas de cours d'histoire de l'art dans ce local[14]!)

Lundi 28 février 2011 (Semaine 6 de jour, 5 de soir)

Midi

Soucis avec mon propriétaire, ennuis avec les REER pas achetés d'avance, léger mal de tête; j'ai pas envie d'aller à mon cours aujourd'hui. J'entre au cégep et je trouve l'atmosphère lourde. Est-ce la neige dehors? Pourtant, hormis mon humeur, tout va assez bien.

Après le cours

Aujourd'hui, en classe, dans le cours de ma collègue, il y avait un séminaire. Cette activité est une évaluation orale : je rencontre la classe un demi-groupe à la fois et nous discutons de l'œuvre à l'étude. Cette semaine,

---

14. Note de 2012 : En fin de compte, ça a été ajusté dans un délai raisonnable, mais je crois qu'un ou une élève s'est aussi plaint.

Lignes de faille de Nancy Houston – que j'ai lu un peu malgré moi, parce que j'étais obligé. Ben oui, je suis comme les élèves, quand on m'impose quelque chose, je le fais à contrecœur, et si c'est une lecture, généralement, je n'aimerai pas ça. Mais le roman m'a finalement plu.

Dans mes cours, quand je fais un séminaire, je donne à l'avance aux élèves quatre questions, et lors de l'évaluation, ils doivent y répondre, en discuter, en débattre (ce ne sont jamais des questions avec une réponse claire, mais bien de celles qu'on ne résout pas nécessairement), et ils sont évalués sur la qualité, la pertinence et l'organisation de leurs interventions. Souvent, ça tourne en un débat fort intéressant. Dans le cours de ma collègue, le séminaire est davantage une table ronde : plutôt que d'animer des discussions générales, elle attribue à chaque équipe de deux ou trois élèves un sujet à analyser dans le roman, et lors du séminaire, six petits exposés par demi-groupe nous permettent d'aller plus en profondeur dans les thématiques de l'œuvre.

Je trouve intéressant d'apprendre des nouvelles façons de faire et peut-être reprendrai-je sa formule dans un de mes cours, une bonne fois.

Malgré tout, le séminaire d'aujourd'hui était un peu emmerdant, moins dans la deuxième moitié du groupe que dans la première. Mais une chose est claire, le groupe du lundi est moins dynamique, moins vivant, moins intéressé que les autres. C'est vrai que le sujet de la mémoire est lourd...

Vendredi 4 mars 2011 (Semaine 6 de jour, 5 de soir)

J'ai expliqué au dernier cours tout ce qui concernait l'exposé oral et j'ai donné les grandes lignes du travail de session – ils doivent faire soit une création littéraire, soit une recherche informative. Je leur ai dit qu'ils devaient se trouver un sujet de travail et me le proposer deux semaines plus tard. « Des questions ? » Pas de questions. Clair comme de l'eau de roche.

Aujourd'hui, je leur présente l'atelier d'exploration de bandes dessinées qu'on s'en va faire à la Grande Bibliothèque, mais avant qu'on parte, je fais le point et leur demande s'ils ont réfléchi à leur travail de session. Silence. Je les force à prendre la parole, quelques-uns font part de leurs réflexions depuis la semaine dernière. « N'oubliez pas que vous devez me proposer votre projet de session pour la semaine prochaine. Pas d'autres questions ? Tout est clair ? » Pas de questions. « Parfait, alors on se voit tout à l'heure, à la Bibliothèque. »

Tous partent sauf quatre ou cinq qui viennent me voir, un à un, pour me demander ce qu'est le travail de session, quel est le lien avec l'exposé oral (il n'y en a pas), s'il y a deux oraux, c'est quoi exactement ce qu'il faut remettre la semaine prochaine... Je viens de lire avec eux la page de consignes et il n'y avait pas de questions !

Je soupire et leur réponds quand même.

Qu'est-ce qu'ils n'avaient pas compris dans : « Avez-vous des questions ? » Est-ce que c'est propre aux élèves de jour de ne rien comprendre comme ça ou si ce sont mes explications (ou la structure de mon cours, que sais-je) qui ne sont pas claires ?

Finalement, les mêmes explications au groupe du soir suscitent moins de questions, et les élèves les posent en classe. Je dois quand même tout expliquer trois fois, au dam de ceux qui avaient compris la première – il y en avait plusieurs –, mais comme je le fais en groupe, c'est moins exaspérant.

Est-ce que je dois revoir ma manière de donner des consignes ? Réorganiser mon cours ?

J'ai l'impression que c'est de ma faute, et ça me fait chier. Je ne peux pas me cantonner derrière un « cette génération-là ne sait pas porter attention » et jeter le blâme sur les élèves. C'est clair que j'ai ma part de responsabilité dans la situation, mais je sais pas dans quelle mesure. Qu'est-ce qui n'est pas clair dans mes explications ? J'essaie d'expliquer lentement, en m'arrêtant souvent pour demander s'ils me suivent : « Jusqu'ici, tout est clair ? » Je fais tout ce que je peux pour que les élèves ne se sentent pas niaiseux de poser des questions et je réponds toujours, même si la réponse est archi évidente. Qu'est-ce que je peux bien faire de plus? Surtout s'ils ne sont pas prêts à dire qu'ils ne comprennent pas! Je veux bien me remettre en question pour m'améliorer, mais je ne peux pas comprendre à leur place! Je sais pas par où commencer à changer...

Lundi 7 mars 2011 (Semaine 7 de jour, 6 de soir)

Oups. Ma présentation sur le postmodernisme a duré plus d'une heure et demie, presque deux!

Je voyais que les élèves décrochaient par moments, et je savais bien que c'était beaucoup de matière, et pas légère, mais j'ai pas vu le temps passer. Quand j'ai éteint le projecteur et rallumé les lumières, il était presque 2 h 30 (le cours commence à midi et demi) et on n'avait pas pris la pause.

Après la pause, il ne restait pas plus de 45 minutes pour faire le travail pratique – qu'ils devront finir à la maison.

À la fin du cours, une étudiante me demande, le calendrier à la main, des informations sur le TP4 qui était au programme. Mes consignes n'étaient pas prêtes, j'ai un peu oublié de le préparer. J'ai patiné et j'ai dit que le cours avait été trop plein, que je n'avais pas eu le temps de présenter ce TP, que je le remettais donc à plus tard.

J'ai gardé la face – hypocrite! À chaque fois qu'une telle erreur de programmation surgit, je me sens mal.

Ce genre de gaffes arrivera moins souvent, je l'espère, avec l'expérience.

Mardi 8 mars 2011 (Semaine 7 de jour, 6 de soir)

Depuis que j'enseigne au cégep, vers la huitième semaine de la session, les 15 premières minutes du cours sont consacrées à l'évaluation du professeur: je remets aux élèves une feuille de questions et une grille pour les réponses à choix multiples, je leur lis les consignes, j'insiste pour qu'ils ajoutent des commentaires au verso, je désigne un responsable qui ira porter les évaluations à l'encadrement scolaire et moi, je sors de classe pour 15 minutes. Quelques semaines plus tard, je reçois les résultats statistiques, avec les énoncés regroupés par catégories et les notes que les étudiants m'ont données. Ça n'est pas un formulaire parfait, mais il fait bien le travail: il est assez objectif, anonyme, et même si j'ai toujours de bonnes notes et de bons commentaires, il montre aussi là où je suis plus faible, selon chaque groupe.

Après quelques années à l'emploi du collège, les nouveaux profs ne sont plus évalués par les élèves, car on considère que tout va pour le mieux et que si un problème survient, ça se saura. Toutefois, la formation continue – qui gère ces évaluations, car les nouveaux profs sont généralement de soir, faut-il le répéter – permet à celles et ceux qui le désirent de se faire évaluer après ces trois années de probation, même si ça n'est plus nécessaire. C'est ce que j'ai toujours fait et que je fais encore... dans mes cours de soir.

Ce matin, comme la huitième semaine arrive, j'ai écrit à mes coordonnateurs pour leur demander de me faire évaluer aussi par mes élèves de jour. «Passe nous voir», m'a-t-on répondu. Frette, net, sec, sans autre phrase ni signature. Je commence à être tanné des courriels laconiques et anonymes, comme si les trois coordos parlaient toujours d'une même voix. Peu avant mon cours, en gardant en tête le mardi d'il y a deux semaines, où un tour à la coordination pour un projecteur mal ajusté m'a presque fait arriver en retard en classe, je passe donc. Le collègue coordonnateur, celui à qui j'ai généralement affaire, m'explique qu'il n'y a *aucun* mécanisme comme celui-là pour les profs de jour : chaque prof qui veut se faire évaluer doit déterminer les critères sur lesquels il veut l'être, rédiger ses questions ou demander celles d'un collègue, faire remplir son formulaire par ses élèves et tout compiler lui-même. Un point c'est tout.

Comment garantir, alors, que les élèves soient honnêtes, qu'ils ne craignent pas d'être identifiés et notés à la baisse ? J'essaie de cacher mon irritation, ce que je fais probablement mal.

Le ton de mon coordonnateur devient véhément – ou est-ce moi qui interprète ainsi son agacement face au Lanctôt qui pose toujours des questions ? (J'étais déjà comme ça à quatre ans.) Il m'explique que ce genre d'évaluation serait du ressort départemental, que le département ne *veut* pas d'une évaluation faite par l'encadrement scolaire, que nous avons un mécanisme serré de parrainage pour les nouveaux de jour, que c'est à chaque prof de s'occuper de sa propre évaluation, que les profs qui fonctionnent bien n'ont pas besoin d'être évalués, et que, s'il y a un problème – ce qui n'est pas mon cas –, la coordination pourra aviser. Puis il se retourne vers son ordinateur.

Parrainage des jeunes profs, je veux bien, mais les élèves là-dedans ?

C'est qui, qui ne veut pas de cette évaluation des profs ? Le département ? Lui-même ? L'assemblée de mes collègues d'il y a x années, qui ont dit ça dans une réunion où il n'y avait que la moitié du monde de présent ? Le syndicat ?

Eille! J'veux pas changer l'monde, calvaire, j'veux juste un coup de main pour m'améliorer et pour analyser ce que mes élèves pensent de mon enseignement! Je crois qu'il est absolument essentiel que les élèves aient le droit d'évaluer leurs professeurs, que ça doit être fait de manière anonyme et structurée, et surtout que ça ne soit pas utilisé comme mesure de la performance des profs. Je veux juste du *feedback* structuré, je veux savoir ce qui ne sortira pas quand on fera le retour sur le cours.

Voir si j'ai le temps, en fin de session, de compiler moi-même les évaluations! Et je ne suis pas un psychologue organisationnel, pour pondre un formulaire neutre qui mesure bien les bons indicateurs!

Quand j'étais à l'université, il y avait un débat semblable: nous, les étudiants, voulions que l'évaluation des profs soit systématique. Entre autres parce qu'il y a des profs qui sont vieux, permanents jusqu'aux dents, «indélogeable», indécrassables, qui ne sont plus de bons profs, et les étudiants devraient pouvoir le leur signifier autrement qu'en les affrontant. Si un prof arrive toujours 20 minutes en retard en classe, il faut que ça se sache. Il n'est pas question ici que l'évaluation devienne coercitive. Juste du *fucking* formatif. Il ne devrait pas y avoir de quoi fouetter un chat!

Ma question, c'était même pas pour une évaluation systématique de tout le monde, mais simplement sur une base volontaire, rien que pour mon petit moi à moi qui veut voir comment il s'adapte à l'enseignement régulier, comment les élèves l'apprécient, et quelles sont ses faiblesses. Je veux seulement avoir la *possibilité* de faire cette évaluation, je veux y avoir droit. Que d'autres soient trop bornés, je m'en fous, mais que moi, je n'aie aucune ressource, c'est scandaleux, finalement.

En ce moment, mes élèves font l'examen qui porte sur les connaissances littéraires et sur la deuxième pièce de théâtre qu'ils ont lue. Je sors pour rafraîchir mon thé et faire quelques copies.

En haut, un des deux photocopieurs est défectueux. Un papier annonce que les pièces de rechange sont commandées. Le second photocopieur a été abandonné là, la porte de devant ouverte, les rouleaux à l'air, sans scrupule, avec un message d'alerte sur l'écran : « Incident papier non résolu ». Je me penche, je tourne un levier, une roulette, j'appuie ici, puis là pour dégager la feuille. À chaque fois que ça m'arrive, je sacre. Est-ce que j'ai l'air d'un réparateur Xerox ? Est-ce qu'on n'est pas dans une institution de formation, où le civisme devrait faire partie des valeurs qu'on transmet ? Et pour transmettre le civisme, est-ce qu'il ne faut pas un peu savoir vivre soi-même ? Quel prof laisse la photocopieur comme ça ? Un prof pressé, je sais, mais quoi, « après moi, le déluge » ?

Je dégage une feuille, la regarde. Un extrait de *La Peur* de Jean-Charles Harvey : tabarnak, un collègue de français !

Incapable de résoudre le problème, j'appelle la repro ; un opérateur ira dès qu'il se libérera. La machine à la bibliothèque est elle aussi défectueuse, je finis par faire mes copies à l'administration – là, les machines marchent tout le temps.

J'arrive 30 minutes plus tard en classe, plus de la moitié du groupe est partie. Moi qui croyais que mon examen n'était pas facile !

Jeudi 10 mars 2011 (Semaine 7 de jour, 6 de soir)

Je suis déjà à ce moment de la session où apparaît clairement ce que j'ai mal planifié et ce qui ne fonctionne pas dans mon cours. Ce moment où ma liste de notes « Pour la prochaine fois que je donne le cours X » s'allonge et où je souhaiterais presque recommencer la session à zéro plutôt que de la continuer – pour tout de suite rectifier ce qui ne marche pas, un peu comme on fait *reset* à un jeu sur la console. Mais évidemment, je ne veux pas ajouter 15 semaines à mon hiver. Les 8 qui restent me suffisent amplement.

Mardi 15 mars 2011
(Relance de jour, semaine 7 de soir)

Semaine de relance, l'école est vide. J'ai cours à 18 heures, puisque les élèves de soir ne méritent pas de congé : ils ne paient pas assez cher pour ça, ils ne travaillent pas assez fort, ils ne sont pas assez surmenés.

Grrrr. Crisse que ça me met en rogne, ces injustices. Ça m'écœure que les élèves plus vieux, qui font déjà le sacrifice de leur vie sociale et de beaucoup d'autres choses pour revenir sur les bancs d'école, doivent en plus payer pour être moins servis, car la formation collégiale n'est « gratuite » que pour les étudiants au régulier.

« Ça va passer quand tu seras de jour », me disent mes collègues. Les injustices ? Bien sûr que non ; seulement mon indignation. Car les injustices, elles, le monde s'en fout.

Je suis arrivé à 14 h 30 au collège pour rencontrer la madame des droits d'auteur à la reprographie. Pourquoi si tôt ? C'est que le personnel de soutien travaille aux heures normales de bureau, et non à des heures pour accommoder les horaires bâtards des profs de soir. Je dois donc arriver trois heures et demie avant mon cours pour la rencontrer.

Comme *L'Art invisible* n'est pas disponible, je suis en train d'en numériser des extraits au bénéfice des élèves, dans l'espoir qu'ils comprendront quand même ce dont il est question dans l'ouvrage et qu'ils pourront acquérir et utiliser le vocabulaire de la bande dessinée.

Nous n'avons le droit de copier que 10 % d'un livre pour des fins pédagogiques. Je choisis 10 % du McCloud, mais c'est ardu de faire passer des concepts expliqués sur des chapitres au complet en n'en prenant que quelques extraits. C'est surtout ennuyant.

J'espère que les élèves pourront au moins comprendre un peu.

Je commence à être irrité par chaque contrainte ; chaque petite affaire qui ne va pas comme sur des roulettes me donne envie de tout crisser là. J'ai besoin d'un *break*.

Le soir, en cours
Je vais virer fou.

Je suis visiblement incapable de donner des consignes.

J'ai expliqué la semaine dernière aux élèves comment se préparer pour le test de lecture de ce soir : « Vous devez choisir un extrait d'une page ou deux du roman que vous avez lu et le photocopier. Tous vos extraits seront rassemblés en un cahier de textes qui sera reproduit pour l'ensemble de la classe, et qui servira à alimenter les discussions du séminaire. Votre extrait devra illustrer un point de vue qui nous aidera à répondre aux questions du séminaire (voir les questions aux pages X et Y du cahier de textes); choisissez donc des passages appropriés et liés aux questions sur la migration. Pour le test de lecture, apportez vos photocopies et votre œuvre, vous devrez répondre à trois questions à court développement. »

C'est clair, il me semble, non? Mais visiblement, je ne suis pas une référence en matière de ce qui est clair ou de ce qui ne l'est pas. Pourtant, mon groupe de vendredi soir dernier a plutôt bien compris, c'est donc peut-être pas seulement moi le problème. Ça me rassure.

Pourquoi, ce soir, quatre ou cinq élèves (sur 25 inscrits, c'est le petit groupe) n'avaient pas lu le livre, pas choisi d'extrait, ou avaient photocopié n'importe quoi sans réfléchir aux questions du séminaire? Quelle perte de temps! Quel niaisage!

J'essaie de concevoir un cours où ils réfléchiront et développeront une perspective générale sur le sujet abordé (cette session, l'identité), mais s'ils ne font pas les travaux, je ne peux quand même pas apprendre et réfléchir à leur place!

En plus de tout ça, les exposés oraux commencent la semaine prochaine. Je l'avais déjà dit, mais je ne l'ai pas rappelé depuis quelques cours : l'équipe qui doit passer au prochain cours ne le savait pas. Voilà, il leur reste 7 jours pour préparer un oral de 20 minutes sur l'histoire de la BD. C'est plutôt court. (Soupir)

C'est probablement ma grande faiblesse : j'oublie de rappeler ce qui aura lieu dans deux et dans trois semaines, j'oublie de répéter trois fois les devoirs. Je tiens pour acquis qu'ils sont organisés – je vais devoir les tenir plutôt par la main à l'avenir, parce que ce niaisage m'exaspère franchement trop.

Alors, pour qu'ils puissent bien se préparer, je vais repousser l'oral de cette équipe et trouver autre chose à faire en classe la semaine prochaine. Je me suis cassé la tête en janvier pour placer activités et évaluations pour que tout aille bien, et malgré tout, c'est le chaos.

J'allonge la liste « Pour la prochaine fois que je donne le 104 ». Mais la prochaine fois, même si je tiens compte de mes commentaires de cette session, est-ce que ça sera le même bordel ? Cette session, j'ai tenu compte des commentaires de la session passée, et de celle d'avant, et visiblement, ça ne m'épargne rien.

Accusons donc mon manque d'expérience. Ou le petit groupe.

Le petit groupe ? À chaque session, à la formation continue, un groupe supplémentaire est ouvert à la dernière minute, c'est celui que j'appelle le petit groupe. J'en ai parlé déjà en décembre, quand on réfléchissait à mon horaire de cet hiver. Cette session, le petit groupe, c'est le 104 du mardi soir. Est-ce que c'est parce que ce sont des insouciants retardataires qui s'y inscrivent, je ne le sais pas, mais ce groupe m'a toujours donné des ennuis, que ce soit en 103 ou en 104. Il s'y retrouve toujours de bons étudiants, désemparés par le temps qu'on perd en classe à cause de l'autre moitié, pas à son affaire. Même chose cette session. Le groupe est plus faible et me demande plus d'énergie que les autres, tant en classe, où je dois expliquer et réexpliquer, qu'en dehors, avec les courriels de questions auxquels je dois répondre.

Mais ça, les cadres qui décident de l'offre de cours et le personnel de soutien qui fait les horaires ne peuvent pas le savoir, puisqu'ils ne nous demandent pas notre opinion.

Alors, j'en suis où ? J'essaie de simplifier mes consignes et ma manière d'expliquer ? ou je rejette la responsabilité sur l'organisation scolaire et des élèves moins attentifs ? Dans les deux cas, je ne suis pas plus avancé.

Lundi 21 mars 2011 (Cours 7)

C'est le retour de la semaine de relance. Je n'ai pas relancé grand-chose. J'ai corrigé chaque jour ; j'ai travaillé hier encore, dimanche, à préparer un test. Quant à moi, cinq congés répartis durant la session seraient mieux qu'une semaine complète de relance. En tout cas, cette session-ci.

Je n'ai même pas pu prendre de l'avance. Je rentre à l'école aujourd'hui, j'ai tout plein de petites choses à faire, j'ai encore ça d'épais de correction – et devant moi, des élèves qui rédigent encore. Enfin, c'est ma *job*, alors *go*! Corrigeons!

Mardi 22 mars 2011 (Semaine 8)

14 h

J'ai glissé un mot de mon problème d'évaluation de prof à mon copain de l'encadrement scolaire. Il m'a dit que certains départements utilisent le même formulaire que la formation continue et qu'ils les font compiler officiellement et objectivement par la machine. Donc, c'est vraiment mon département qui ne veut pas.

Ma coloc de bureau, tout en me donnant le formulaire qu'elle utilise, me recommande par contre de ne pas intervenir en réunion départementale demain, comme je le prévoyais. Elle m'explique que le ministère a déjà demandé l'évaluation des profs et que les syndicats – je m'en doutais – s'y étaient opposés, car dans certains collèges où ça avait été mis à l'essai, ça avait fini que les coordonnateurs évaluaient leurs collègues. « Le problème avec les jeunes profs, dit-elle, c'est qu'ils se plaignent sans savoir l'historique – le pourquoi et le comment de ce qu'ils dénoncent. » Je n'ai pas envie de suivre un cours d'histoire de la pédago-bureaucratie du Québec, juste pour bien faire ma *job* – qui est, rappelons-le, d'apprendre aux élèves à penser, à lire et à écrire. Je ne devrais pas avoir besoin d'un bac en relations de travail pour la faire.

Je redoute cette réunion départementale... *I dread it*, quel ennui.

22 h 30

S'il y a un moment où je me sens dépassé, où j'en ai marre, c'est aujourd'hui, c'est ce soir, c'est maintenant. Pourtant, j'étais d'assez bonne humeur en journée, même si j'ai chialé un peu en début d'après-midi.

Mais mon cours de ce soir, avec le petit groupe plus faible, a été chaotique.

D'abord, les élèves sont arrivés de manière progressive : 2 minutes, 5 minutes, 8 minutes, 12 minutes, 17 minutes de retard. Ça me tue. Chaque arrivée me déconcentre un peu, pis ça donne l'impression qu'ils se foutent simplement de moi, même s'ils ont de bonnes raisons d'arriver en retard – raisons que je ne veux surtout pas savoir. Je vais devoir fermer la porte du local quand je commence, pour que les retardataires patientent dans le couloir jusqu'à ce que *je* décide qu'ils peuvent entrer. Je n'aime pas faire ça, mais ai-je le choix? Crisse, c'est des adultes, non?

J'ai commencé le cours en faisant le point sur les travaux qu'ils sont en train de faire. Je leur ai demandé où ils en étaient rendus, et voilà que ça a viré en « oui, maiiiis » et en « mais monsieuuur » plaintifs, pour essayer de négocier les consignes et les échéances. C'est rien pour me garder de bonne humeur. Je n'ai rien contre les discussions et les remises en question, mais le ton plaintif de qui se pose en victime, ça me *gosse* vraiment. Et c'est évidemment ceux qui sont le moins à leur affaire qui chialent; les autres attendent patiemment que le cours démarre.

La première partie du cours était consacrée au travail pratique sur les extraits que j'ai choisis de *L'Art invisible*. Plusieurs ont eu de la difficulté à comprendre les infos sur la bande dessinée à partir des photocopies que j'ai faites la semaine passée. Mes extraits n'illustrent pas les concepts aussi clairement que le livre en entier. J'ai donc eu la moitié des équipes qui ont réussi les quatre questions en deux heures, alors que les autres n'ont même pas fini le brouillon de leur première réponse. J'aurais certainement passer cette matière en exposé magistral, mais je voulais le faire par la bande dessinée.

Le cours m'a épuisé : négocier avec les élèves, puis constater qu'une activité pédagogique ne fonctionne pas, ça tire du jus, surtout quand ça tombe la journée où j'ai deux cours consécutifs de 3 h 40 chacun. Mais après, ça a continué : un élève m'a retenu 10 minutes parce qu'il n'a pas encore choisi de sujet d'exposé. Ensuite, un absent au test de la semaine dernière m'a avisé ce soir que c'était pour une raison d'urgence dentaire. Il m'a donné le billet du dentiste – parfait, je ne compterai pas l'absence. Sauf qu'il veut reprendre le test. Je refuse, je lui explique que s'il m'avait écrit la semaine dernière, on se serait arrangés, ça serait déjà fait, mais arriver, tout innocent, une semaine plus tard, et vouloir reprendre un test après m'avoir dit qu'« entre un rendez-vous chez le dentiste et un 5 %, c'est la dent qui a été la priorité »... Non.

Mais, je ne sais pas pour quelle raison, peut-être pour minimiser mon refus, j'ai dit que s'il y avait un pro-blème à la fin de la session, qu'un 5 % devenait nécessaire à la réussite, on verrait pour une reprise. Chu trop fin.

Il est 23 h 30. Je ne peux pas encore aller au lit, je suis encore sur le mode « école ». Il faut que j'arrête de penser à tout ça. Je sais que ça va certainement encore me trotter dans la tête en me couchant, tout à l'heure. Il faut que j'arrête d'écrire, ça me garde dans l'humeur de la journée, ça maintient l'adrénaline de l'école et le petit hamster pédagogique qui me tourne dans le cabochon est encore sur le *speed*. Je dois me changer les idées, sinon je ne m'endormirai pas.

Mercredi 23 mars 2011 (Semaine 8)

(Gribouillages pendant l'assemblée départementale, rédigés par la suite.)

J'avais pas envie de venir assister à l'assemblée départementale, mais je considère que c'est ma responsabilité – contrairement à certaines collègues auteures qui, parce qu'elles sont occupées à écrire, à fréquenter les salons du livre et à recevoir des prix, ne daignent pas participer à la gestion collégiale du département et ne se pointent aux assemblées qu'une fois l'an si nous sommes chanceux. Ces réunions sont là pour qu'on prenne les décisions qui concernent nos cours et la gestion du département. N'imaginez pas qu'on parle de littérature, oh que non : on parle de gestion, de charges d'enseignement, de tâche, de plans-cadres, de comités, de programmes. On gère.

On est 30, 40 profs de français qui discutent, argumentent et votent – et des profs de littérature, ça peut devenir pointilleux. La réunion est un peu plate, je prends des notes discrètement. Mais faut ce qu'il faut: c'est mieux que d'avoir un patron qui ne connaît pas notre *job* et qui nous impose les décisions d'en haut. Ces assemblées sont un moindre mal.

J'écris pas trop, j'essaie d'être discret. Je trouve ça plus ou moins *cool* quand des collègues corrigent pendant que d'autres parlent. Même si j'avoue que je les comprends: le compte rendu des activités de chaque comité, comme en ce moment, ça n'est pas palpitant. Mais ça demeure impoli de faire autre chose pendant la réunion.

Il y a en ce moment des discussions sur la précision d'un libellé. Quelqu'un a «proposé» quelque chose. Le mot *proposer* implique une discussion ou peut-être un vote, puisqu'on suit le code Morin pour les procédures de réunion. Quelqu'un lui demande: «Tu proposes ou tu mentionnes?» L'autre répond: «Non non, je dis ça de même.» Moi, je rigole en silence.

Bon, faut que je porte attention, je ferme mon cahier.

Mardi 29 mars 2011 (Semaine 9)

En fin de compte, l'assemblée départementale de mercredi dernier, ça n'était pas si mal. Parmi les points bien techniques, il y a quand même eu quelques blagues, des mots d'esprit chuchotés au voisin et des discussions intéressantes. J'ai décidé de ne pas poser ma question sur l'évaluation des profs.

Aujourd'hui, c'est encore mon mardi fou.

J'aime bien mon groupe de l'après-midi. Enfin, tous les groupes. Les élèves de jour parlent davantage qu'en début de session. On s'amuse, on rigole en travaillant, ça me plaît.

Sauf que, le mardi, j'avale trois bouchées en vitesse pendant la pause de l'après-midi, je sprinte jusqu'à mon bureau entre les deux cours pour aller porter mes cahiers et chercher les autres, pour me faire du thé et, si j'ai deux minutes, pour écrire quelques lignes. En ce moment, les élèves rédigent – encore !

21 h 40
Le cours est fini.

Je suis submergé. Je perds le contrôle de ma session : je croule sous une quantité innombrable de petits travaux qui ne valent rien.

Je « perds le contrôle » ? Strictement parlant, c'est pas possible, car quand le prof n'est plus en contrôle, il n'y a simplement plus de transmission, donc finalement plus vraiment de cours – *knock out, burn out*. Ce que je veux dire, c'est que j'ai l'impression qu'il y a plus de travaux qu'il n'y a de Lanctôt pour les corriger, que je perds de vue l'ensemble et que je n'y arriverai pas – mais ça aussi c'est impossible : je vais y arriver. Il n'y a pas vraiment de choix.

Prendre de l'expérience, ça fait mal.

Mardi 5 avril 2011 (Semaine 10)

Je hais les mardis !

Aujourd'hui en après-midi, séminaire sur *Parfum de poussière*, de l'auteur québéco-libanais Rawi Hage, une œuvre choisie par ma collègue. Comme pour *Lignes de faille*, je l'ai lue à reculons parce qu'elle m'était imposée, mais c'était correct. Je suis *boqué*, entêté. Je me suis déjà forcé à dormir deux heures dans un cinéma parce que ça me faisait chier que l'école nous impose d'aller voir *Cyrano* après les heures de cours, à l'autre bout de la ville. C'est d'ailleurs pour ça que j'offre des listes de lectures aux élèves ; je tiens pour acquis que s'ils choisissent les œuvres qu'ils liront, il y a plus de chance que ça leur plaise et ils seront plus impliqués dans le cours.

Les séminaires de la collègue que je remplace n'en sont pas tout à fait, comme je l'ai déjà dit, mais j'ai gardé sa formule pour ses deux groupes. Au sujet de *Parfum de poussière*, j'ai demandé aux élèves de réfléchir sur la place de l'alcool et des drogues dans le roman, sur celle de la guerre, sur le rôle de l'exil, sur la sexualité et l'amour et sur la trahison et le mensonge. J'ai élargi sa formule, pour qu'on débatte un peu après les oraux en ajoutant des questions générales.

J'aime de sa formule qu'on va plus en profondeur dans une œuvre ; j'aime de la mienne qu'il y a davantage d'échanges et qu'on travaille les perspectives générales. Je trouve que les discussions et débats permettent mieux de structurer la pensée que l'écoute passive d'un oral, parce qu'on est obligé de confronter ses idées avec celles des autres, et ainsi, on doit les préciser, les expliquer, les illustrer, les développer.

J'avais raison, les élèves voulaient discuter, et les discussions étaient intéressantes. Sauf qu'avoir raison ne m'a servi qu'à moitié, car à cause de ça, le temps s'est étiré, je n'ai pas pris de pause (les élèves, eux, n'avaient qu'un demi-cours, alors ils n'en avaient pas besoin) et le cours a fini à 18 heures pile. Mes élèves du groupe suivant attendaient déjà dans le couloir.

J'ai couru (littéralement, cette fois) jusqu'à mon bureau, j'ai ramassé mes trucs et je suis redescendu. Pendant l'évaluation du prof, puisque c'est le cours du soir, j'ai eu 15 minutes pour me réfugier dans un local vide à côté et pour avaler mon lunch froid en corrigeant trois dernières copies. Retour en classe. Remise des travaux corrigés, explications, puis exposés.

Le premier élève n'est pas arrivé à passer son message. Il devait présenter et définir le roman graphique, mais son propos était confus, sa recherche était superficielle et il ne comprenait pas vraiment son sujet. J'avais pitié, je lui ai laissé plus de temps – mais c'était une erreur : tout ce que ça a donné, c'est qu'il a cafouillé plus longtemps, sous le regard perdu des autres qui ne comprenaient rien. J'ai annoncé une pause de 15 minutes au lieu de 20 pour qu'on ait le temps pour le reste des oraux. Pour moi, ça signifie : cinq minutes pour retourner au bureau, cinq minutes pour faire bouillir l'eau, cinq minutes pour revenir – c'est pas vraiment une pause.

Au retour, j'ai dû expliquer réellement ce qu'est le roman graphique, pour qu'on puisse utiliser l'information dans la suite du cours. En conséquence, j'ai dû presser les quatre étudiants qui devaient encore présenter leur oral. Ils ont parlé à la course, il n'y a pas eu de discussion, allez hop, au prochain.

Je n'aime pas les cours d'exposés oraux où des élèves présentent avec plus ou moins d'intérêt des sujets sans lien les uns avec les autres, pendant que les autres dessinent dans les marges de leurs cahiers ou font semblant d'écouter en comptant les moutons. C'est donc moi qui choisis les sujets des oraux, en fonction des thèmes du cours, dans le but que ces présentations agissent comme un cycle de conférences, qui complètent la matière plus théorique déjà vue, avec des échanges à la fin pour que les élèves réfléchissent tout de suite à ce qu'ils viennent d'entendre. Mais, calvaire! aujourd'hui, pas de temps pour discuter. On a enchaîné les oraux sans respirer et on a fini à 21 h 43, trois minutes en retard.

Donc, mon empathie s'est retournée contre moi et contre ces quatre élèves: le premier n'a pas bénéficié du temps supplémentaire que je lui ai laissé, il n'a qu'ennuyé plus longtemps ses camarades, et les trois autres ont payé en ne pouvant pas prendre le temps de développer un peu plus leur sujet. En fait, c'est ces trois autres étudiants, tellement meilleurs que le premier, qui auraient mérité de dépasser leur temps, qui auraient mérité une discussion sur ce qu'ils nous ont présenté. Il faut que je gère le temps d'une manière plus stricte et que je ne me laisse plus autant atteindre par les difficultés des étudiants. Il ne faut plus que je laisse les plus faibles nuire à ceux qui ont le niveau du cours, même si c'est pas facile.

Avec tout ça, il y a Francine qui souhaite me parler depuis trois semaines et qui n'arrive pas à me coincer. Quand elle arrive, je suis en navette entre la classe et mon bureau. Pendant les pauses, j'ai souvent un *line-up* et elle a besoin d'une pause, elle aussi, alors ce soir, à 10 heures moins quart, comme souvent, on était tous les deux épuisés: on se parlera une autre fois.

Au moins, une bonne chose d'accomplie aujourd'hui : aux plaintifs « mais monsieur, je ne savais pas que c'était à remettre aujourd'hui », j'ai pratiquement réussi à répondre « je m'en fous ».

Lundi 11 avril 2011 (Semaine 11)

J'écris peu dans ces carnets ces temps-ci, environ une seule fois par semaine. C'est que j'ai beaucoup à faire : après chaque cours d'oraux, je passe deux heures à composer un commentaire détaillé pour chaque élève, ou chaque équipe ; je corrige une tonne de petits travaux que j'ai donnés (travaux pratiques, dépôt de projet de fin de session, plan et bibliographie des oraux), et qui me prennent en fin de compte beaucoup de temps ; j'ai de plus l'ambition de ne pas laisser mourir complètement ma vie sociale...

Cinq groupes, c'est demandant.

Il y a aussi que j'ai peu à dire : je suis sur mon erre d'aller, et je n'ai pas ressenti le *besoin* de rien venir ajouter ici depuis une semaine. (Wow, pas d'envie de me plaindre, je devrais me réjouir !)

Le pire moment de la session est passé.

Il faut probablement être prof, probablement même prof de français, pour comprendre le poids des corrections. D'abord, il faut savoir que même si on se décrète un dimanche de congé, tant qu'une pile de textes trône sur son bureau, ça n'est qu'un demi-congé. La correction est un spectre aussi lourd qu'une dette écrasante ou de longues procédures judiciaires.

Ensuite, il faut comprendre que c'est comme faire son lit : c'est sans cesse à recommencer. Si on est à jour dans ses corrections, on n'a qu'à éternuer et il y a 150 feuilles empilées devant soi. Par exemple, jeudi soir de la semaine dernière, j'étais à jour. Tout avait été remis aux élèves, et dans les délais. Mais vendredi, j'ai vu deux groupes et j'ai ramené deux dossiers pleins de textes à la maison. Fini, le petit sentiment de bonheur léger, vous savez, celui qu'on a pendant les quelques jours où le solde de la carte de crédit est à zéro !

Je suis très content que la fin de la session approche. Il me reste surtout des exposés oraux à corriger, et seulement le travail de session à l'écrit. Pour les oraux, il me suffit d'être bien présent, de prendre des bonnes notes et d'écrire mes commentaires : c'est un travail concentré, mais qui ne prend pas quarante-douze heures par copie, au moins.

La fin de la session arrive, il y a de la lumière au bout du corridor, et c'est la lumière chaude du printemps. Hier, j'ai corrigé dans la cour pour la première fois de la session. (J'ai aussi étendu mon linge dehors pour la première fois. Je ne m'en suis pas aperçu quand il s'est mis à pleuvoir : mes vêtements ont passé la nuit sur la corde à linge. J'ai hâte de pouvoir le faire, moi aussi !)

Vendredi 15 avril 2011 (Semaine 11)

Mon cours du lundi finit à 16 h 10. J'arrive rarement à partir assez vite du collège pour être à la maison avant que mon chum se couche, à minuit en Europe, 18 heures ici. Donc, règle générale, on se manque les lundis. Pour une fois, lundi dernier, j'allais y arriver. Mon sac était fait, l'ordi, éteint ; j'allais réussir à attraper le bus qui m'aurait fait arriver chez moi à temps. Comme je prenais mon manteau, on a frappé.

C'était un étudiant que j'ai eu en 101 la session dernière : « As-tu un peu de temps ? – L'autobus est dans... – Je peux te donner un lift, on parlera dans l'auto. » Il est venu au cégep exprès pour me voir, je le laisse donc entrer, on s'assoit.

Au *yâb*, Skype avec mon chum, l'étudiant a besoin de parler. (Même si, après notre conversation, il m'a ramené à la maison en voiture, 18 heures étaient passées.)

Il a un problème avec le prof de 102 dont j'ai parlé au début de la session. D'une part, l'élève n'aime pas sa façon d'enseigner – le prof serait peu à l'écoute. D'autre part, il se demande si sa seconde dissertation n'aurait pas été jugée trop sévèrement, parce qu'il avait manifesté en classe un questionnement qui aurait irrité le prof.

Il me raconte que le prof a remis les copies corrigées de la première dissertation 10 minutes avant la fin du cours précédant la seconde, sans rien expliquer de sa correction. Sur la copie, peu de commentaires. L'étudiant a manifesté, probablement de manière trop véhémente, son désaccord. Au cours suivant, il y a eu une confrontation, l'élève est sorti. Les portes, dans plusieurs de nos locaux, claquent systématiquement : la porte a claqué. Alors qu'il avait eu 56 à la première dissertation, l'étudiant a eu 45 à la seconde.

Je me suis assis avec lui. J'ai lu son texte à voix haute et lui ai montré pourquoi il ne fonctionnait pas et pourquoi la note était justifiée. Je lui ai aussi dit que son comportement n'était pas acceptable, même s'il a peut-être raison d'autre part. Il a bien reçu ce que je lui ai dit.

Le lendemain soir, à 21 h 40, après un long mardi, dont je sortais épuisé, l'élève est revenu, avec trois collègues de classe, dont deux de mes anciens, pour me demander conseil. Nous avons discuté une demi-heure, 45 minutes.

J'aime bien ces anciens élèves, et ce qu'ils m'ont raconté m'est resté en tête cette semaine. Je ne suis pas certain d'avoir envie que ce collègue fasse partie de mon département pour les 30 prochaines années. Mon opinion est certes biaisée, car je ne le connais pas et je n'ai eu que des commentaires d'étudiants pour m'en faire une idée – toutefois, n'oublions pas que les étudiants sont quand même parmi les mieux placés pour juger de la qualité d'un prof. Je sais que je dois réserver mon jugement, mais disons que j'ai une mauvaise impression. Je suis certain qu'il est compétent, mais je n'ai jamais aimé les profs qui prennent les élèves de haut ou qui se cachent derrière un doctorat ou une tonne de savoir.

Mais je me dis surtout que ce n'est pas de mes affaires. Je n'ai pas à juger de ce qui se passe dans la classe d'un collègue, même si je crois que quelque chose cloche. Et veut, veut pas, ça me fait penser à la question de l'évaluation des profs dont j'ai déjà parlé : il faudrait que les élèves puissent lui dire ses faiblesses, d'une manière neutre et anonyme, pour qu'il puisse s'améliorer.

Samedi 16 avril 2011

Au *Téléjournal* de 18 heures, j'entends : « il a été victime d'intimidation à cause de son apparence physique ». Euh... de quelle autre apparence pourrait-il être question ?

Nous demandons aux élèves de bien parler et de bien écrire. Ils ont donc le réflexe de prendre des modèles – c'est un réflexe que nous avons tous. Et ils croient que, parce qu'ils sont à la télé, les journalistes s'expriment bien, et qu'ils sont donc dignes d'être leurs modèles. Erreur. Il y a des journalistes qui parlent bien, mais pas tous. Y a-t-il seulement des cours de langue française dans les programmes de communication ? Combien de fois entend-on sur les ondes des « au niveau de » pour parler de choses où il n'y a pas de niveau, ou d'autres tournures à faire friser les oreilles ?

Les élèves essaient donc d'écrire comme les journalistes parlent. « Victime d'intimidation à cause de son apparence physique. » Et celle-là, c'est pas une erreur si grave, juste un petit pléonasme vicieux, juste un symptôme qu'on a les priorités plus ou moins à la bonne place. La société québécoise part souvent en croisade pour défendre le français, mais elle le fait trop souvent contre le mauvais ennemi, contre l'anglais et les anglophones, au lieu de s'attaquer à l'ennemi intérieur, c'est-à-dire notre manière approximative de nous exprimer...

Lundi 25 avril 2011

Lundi saint, jour de congé. Un congé dont je me câlice, congé d'une société devenue hypocrite qui ne fait plus carême, mais se bourre de chocolat quand même.

Il ne me reste plus que trois longs mardis : demain, mes deux groupes présentent des exposés oraux ; mardi prochain, il y aura des exposés le jour et un séminaire le soir ; dans deux semaines, le 10 mai, ce sera le cours 15, le dernier cours pour ces groupes, la fin. Neuf jours plus tard, ça sera mon dernier vendredi, mon tout dernier cours : le 19 mai. Pas trop tôt !

Je n'ai plus vraiment la tête à mes cours de cette session. Je pense sans cesse à la prochaine fois où je donnerai le 104, à comment intégrer les œuvres que j'ai découvertes cette fois-ci, à quoi faire pour mieux stimuler les élèves sans augmenter ma charge de correction – mieux, à comment la diminuer.

Je ne sais pas encore ce que je donnerai cet automne. Lorsqu'on a fait notre choix de cours, dès que j'ai eu cliqué sur « envoyer », j'ai douté de mes choix (1er choix, 104 ; 2e choix, 101 ; 3e choix, Français écrit pour nouveaux arrivants). Je me demande si le 101 (qu'on donne aux élèves les plus jeunes du cégep, frais sortis du secondaire) est un bon choix pour ma première vraie session de jour. Les coordos ont fait un appel à tous pour la répartition de la tâche (ce qui a l'air assez ardu) – trop de monde voulait les mêmes cours. J'ai donc offert aussi de faire du 103. Finalement, je pourrais avoir n'importe quoi cet automne.

Je peux bien commencer à préparer la prochaine mouture du 104 à la lumière de mes problèmes de cette session, mais je ne sais pas quand je l'utiliserai. C'est motivant juste à moitié.

Mardi 26 avril 2011 (Semaine 13)

11 h

Mon horaire de cette session (cours lundi, mardi et vendredi) a fait que le congé pascal m'a donné presque une semaine complète *off* – pour une fête que je ne célèbre même pas. Inutile de dire que je n'ai pas envie de me replonger dans le travail aujourd'hui. Je suis sur le mode « congé », j'ai pas envie de revoir mes élèves, ni d'écouter leurs oraux, tout intéressants qu'ils soient.

Et il pleut.

J'ai encore des choses à faire au collège avant mon cours de 14 heures, il faut déjà que je parte...

23 h

Quelle journée !

Parti plus tôt pour une course et un arrêt à la bibliothèque, je suis arrivé avec assez d'avance au collège. Mais l'écran de l'ordi du bureau ne fonctionnait pas, j'avais la repro à récupérer, des courriels à lire, des pièces jointes à imprimer. Résultat : j'ai été à la course pendant une heure et demie et je me suis figuré que mon cours commençait à 14 h 40 au lieu de 14 h 20. Pour la première fois de la session, je suis arrivé en retard. Vraiment en retard. Heureusement que les élèves étaient encore là.

Les quatre exposés ont été très bons : le génocide au Rwanda, la mémoire de la révolution culturelle de Mao, la guerre et les jeux vidéo et l'amnésie des Turcs quant au génocide arménien. Bien documentés, intéressants, avec de bonnes lectures des œuvres et de bons débats. Les élèves m'ont donné le goût de lire les romans qu'ils ont présentés.

J'ai dit toute la session que je trouvais le thème de la mémoire, celui choisi par ma collègue maintenant maman, plutôt lourd. Souvent, après avoir passé trois heures à parler de la guerre au Liban, de la Shoah, de la Palestine, on sortait de classe abattus. Mais à écouter les élèves débattre après les oraux, je crois que le sujet est archi pertinent. La majorité n'avait entendu parler que vaguement du génocide au Rwanda (ils avaient cinq ans), ils ont appris en classe qu'il y en a eu un en Arménie, en 1917, et qu'il s'en perpétue un en ce moment au Soudan. On a d'ailleurs convenu, puisqu'aucun d'entre nous – moi inclus – ne savait grand-chose de ce dernier, qu'on ferait une recherche chacun de son côté et qu'on mettrait nos connaissances en commun la semaine prochaine. C'est ce que j'ai fait quand on a parlé des guerres du Vietnam et du Liban et ça a très bien fonctionné : c'est une façon de faire assez efficace que je viens de trouver. C'est génial de pouvoir développer une complicité, et de la spontanéité avec les élèves.

Et je réalise l'importance cruciale du thème de la mémoire. Comme je veux changer la structure de mon 104, je vais probablement intégrer le cours de ma collègue au mien. Je vais adopter son principe de TP pour remplacer mes tests de lecture et pour faire écrire les élèves davantage, et je vais passer d'un seul exposé (soit sur la BD, soit sur la migration) à deux exposés (un sur la BD, puis un sur un thème nouveau, entre migration, identité et mémoire).

Il faut que je fasse ces changements, parce que dans le groupe du mardi soir (mon cours), ça va beaucoup moins bien que dans celui de l'après-midi (le cours de ma collègue, que je donne). Il y avait ce soir moins d'élèves que jamais en classe. J'étais encore de bonne humeur, mais ils étaient fatigués.

Dans la première partie, on a fait l'atelier de lecture des travaux de session. C'est un exercice auquel les élèves sont réticents. Je leur explique bien : ils doivent lire la création littéraire de leur partenaire, puis lui donner des commentaires constructifs. Pendant ce temps, je fais le tour et je discute avec chacun. Ça a été correct, mais sans plus.

Mais après la pause, ça s'est gâté. Les exposés étaient mauvais, c'était consternant : les œuvres étaient peu et mal analysées, les exposés, sans propos ni structure, vagues. Au moins, ils ne représentent pas tous les élèves de cette classe ; il y a eu de très bons exposés sur la BD, mais comme je l'ai déjà dit, ce petit groupe est toujours un peu étrange. Et c'était certainement pire pour moi, en contraste avec les excellents oraux de l'après-midi. Je vais faire échouer ces élèves pour leur oral, ce qui m'arrive rarement.

Je me pose cent mille questions pour la prochaine session : comment faire pour que les oraux soient meilleurs ? pour que les élèves passent leur message de manière efficace et concise ? Comment les aider à trouver un fil conducteur pertinent ? Comment améliorer mon cours ?

Jeudi 28 avril 2011 (Semaine 13)

Comme je m'y attendais, j'ai du 101 à l'automne. Une seule préparation, pour un cours que j'ai déjà retravaillé en janvier dernier – c'est au moins ça.

Mais j'avais construit mon 101 en pensant à des jeunes de 22 à 30 ans surtout, pas de 17 ans. Est-ce que *Jacques le fataliste* passe à 17 ans ? On verra bien.

Vendredi 29 avril 2011 – (Semaine 13, mais cours 12)

Des fois, j'aimerais avoir une *job* que je peux faire sur le pilote automatique. Le congé de Pâques a vraiment brisé mon rythme. Je passe mes soirées comme si c'était congé le lendemain, et le matin – ce matin –, j'ai encore pas envie d'aller à l'école. Pas de pilote automatique possible pour une journée avec deux cours.

Pendant mon heure de disponibilité, entre midi et midi quarante, des étudiants sont venus me poser des questions. Ensuite, le cours de l'après-midi a bien été, les exposés sur la littérature migrante étaient assez bons. Après le cours, j'avais pas l'énergie pour donner tout de suite les commentaires et les notes aux élèves, j'ai préféré jaser avec un étudiant et avec ma coloc de bureau. J'ai mangé trois bouchées, puis un élève du soir est venu, pour des questions au sujet de son oral. Trois autres bouchées en parlant, et hop, en classe. Je suis reparti pour quatre heures de cours.

La semaine dernière, c'était le séminaire, et je n'ai vu ces élèves qu'un demi-groupe à la fois. C'est donc il y a deux semaines que je leur ai dit d'apporter aujourd'hui leur travail final pour l'atelier de lecture des créations, que j'ai fait mardi avec l'autre groupe de soir. Seuls trois ou quatre élèves avaient leur texte : j'ai dû reporter l'exercice à la semaine prochaine. «Merde, j'ai travaillé sur le texte comme une folle!» dit Janni en riant. Je lui réponds : «Pas grave, si on ne finit pas trop tard, je vais regarder votre travail avec vous.»

Le cours a fini plus tôt, vers 21 h 15, je crois. J'ai répondu à quelques questions, puis je me suis assis avec elle. Comme récompense d'avoir été la seule à apporter son travail : un tutorat privé. *Fuck* le pilote automatique.

On a commencé un peu avant 10 heures.

Janni est sud-américaine (née là-bas, arrivée ici assez jeune, je crois) et je lui ai déjà enseigné avant cette session. Je sais qu'elle peut bien profiter de ce coup de main. Je lis son travail avec elle (huit pages) : elle a décidé de faire un texte informatif sur l'histoire de la littérature espagnole, plutôt qu'une création littéraire. J'ai commenté l'organisation de son propos, lui ai fait remarquer les faiblesses dans le choix des idées et dans leur formulation, j'ai clarifié des différences entre l'espagnol et le français pour l'aider à écrire, je l'ai corrigée à l'oral. Je lui ai enfin rappelé de réfléchir en français – ce qui n'est pas aussi facile qu'on le croit!

On a fini à 11 heures. Je suis arrivé ici vers 11 h 30, minuit moins vingt, claqué. Claqué mais content : elle aura appris pendant cette heure plus que pendant la moitié de la session. Si seulement je pouvais faire ça avec chacun!

C'est comme ça que j'ai appris à écrire, au secondaire, quand ma mère m'aidait. On s'assoyait à l'ordinateur (à l'époque, un 386 avec WordPerfect sur écran bleu, sans souris), elle lisait mon texte, et quand il y avait une faute, elle s'arrêtait et me laissait la trouver. Elle pouvait me faire des recommandations stylistiques, m'expliquer des règles. C'est certainement ce qui m'a aidé à apprendre et à appliquer mes règles de grammaire – apprises «à l'ancienne», par cœur inclus, dans le *Précis de grammaire* de Grevisse – et c'est peut-être aussi ce qui m'a fait devenir prof. Quelques années plus tard, quand j'étais en deuxième année de cégep, j'ai choisi Études françaises à l'université en me faisant la remarque que je voulais aider le monde à mieux écrire. J'aurais plutôt dû écouter le conseil d'une copine qui m'avait prévenu que prof de français, c'était la pire *job*, elle qui voyait sa mère corriger!

Mardi dernier, une élève m'a dit: «Mais toi, t'as l'été de vacances!» C'est tout ce que tout le monde voit! Ils ne voient pas ces rencontres bénévoles jusqu'à 11 heures le soir. Ils ne voient pas le temps que ça prend pour décompresser d'une année scolaire. Ils ne savent pas que pendant les 16 semaines que dure la session, le concept même de fin de semaine disparaît. S'il y a de la correction ou de la préparation, dimanche ou pas dimanche, on travaille – ça, les étudiants le comprennent; les autres l'ont déjà oublié. C'est une trentaine de jours, de fins de semaine travaillées, qu'on devrait ainsi reprendre après la session.

Tout le monde voit juste que nous sommes passionnés; même, on exige de nous que nous le soyons, pour divertir notre jeunesse. Au nom de cette passion, les gens s'attendent à ce que nous travaillions les soirs, les fins de semaine, les heures de *lunch* et les pauses. Parce qu'on a l'été de vacances alors qu'eux n'ont que les misérables deux semaines obligatoires, on n'a rien à dire: gâtés, gras dur, employés de l'État avec fonds de pension, assurances et tellement de vacances, alors «Farmez vos yeules! Éduquez nos enfants, soyez passionnés, pis taisez-vous!»

À cette élève qui m'a dit ça, sans arrière-pensée, je n'ai pas répondu que moi aussi, j'ai travaillé comme elle le fait, pendant mes études – 25 heures par semaine l'hiver, au moins 40 l'été, pour ne devoir emprunter qu'à la maîtrise. Je ne lui ai pas dit qu'en tant que jeune prof, il faut aussi avoir une *job* d'été. J'ai eu mon premier été de véritable congé, un été de prof, pour la première fois l'été dernier, à 35 ans – payé par les économies que j'avais faites avec les pourboires du bar[15].

Mais qu'est-ce que je peux faire? Pas grand-chose. Si un prof s'écœure, s'il crisse toute là, qu'est-ce qu'il peut faire d'autre? Où peut-il se recycler? À peu près nulle part, il faut recommencer ailleurs. Donc, non seulement on est gras dur et passionnés, mais en plus, on est pris à la gorge! Faque je me rends!

Résignez-vous qu'ils disaient.

---

15. Note de 2012 (au début de la grève): J'entends dans les débats autour de la grève étudiante contre la hausse des droits de scolarité des gens qui disent qu'il faut se priver pour obtenir ce qu'on veut, qu'il est normal que les élèves travaillent pendant qu'ils sont à l'université, qu'il faut faire des sacrifices pour se responsabiliser. (Soupir) C'est une logique de productivité, pas une logique humaniste, comme celle que j'aimerais que notre système scolaire ait. Le sacrifice, c'est de se consacrer entièrement à ses études, pas de les négliger pour pouvoir les payer.

Mardi 3 mai 2011 (Semaine 14)

22 h 20

Avant-dernier mardi de la session.

Inutile de dire que j'ai encore couru comme un fou – je pense que j'ai écrit ça à chaque semaine – et que j'ai soupé d'un sandwich en animant le séminaire.

J'ai trois énormes piles de créations littéraires à corriger. Heureusement que les élèves du groupe de vendredi soir ne rendent les leurs que la semaine prochaine.

Ils font quoi, les autres profs, quand quatre groupes ont leurs remises en même temps ? Je crois que pour le prochain choix de cours, je demanderai deux préparations différentes, juste pour faire alterner les remises de travaux – mais on verra après mes 101 de la prochaine session.

Encore une fois, je pense que mon idée de faire un recueil avec les créations littéraires les plus achevées de mes cinq groupes va tomber à l'eau. Dans le groupe (amaigri) de ce soir, deux élèves m'ont expressément demandé que leur texte ne soit pas dans le recueil, alors qu'un nombre important n'a encore rien remis. Pour faire un recueil rapidement, il m'aurait fallu des copies prêtes à envoyer à la repro cette semaine. Ça n'en vaut pas la peine. Même si en fait, c'est intéressant : ça leur aurait permis de lire ce que leurs collègues ont écrit.

Hier, il y avait élection.

Dans tous les groupes, depuis une semaine, j'ai expliqué l'importance d'aller voter et la double importance du vote des jeunes. J'ai dit qu'il était mieux d'annuler son vote que de ne pas y aller du tout – c'est ce que je crois. Quand j'ai demandé au groupe de cet après-midi qui était allé voter, tout le monde, je crois, a levé la main. J'en suis bien content, même si le crédit ne me revient pas.

J'ai expliqué aujourd'hui que même si on n'est pas satisfait du résultat du vote d'hier[16], on peut quand même voir que le vote des citoyens a changé quelque chose. C'est pas complètement inutile.

Dans l'autobus entre le collège et le bureau de vote, hier, j'ai rencontré une collègue du département. Elle enseigne depuis longtemps, mais cette session, elle donne un cours pour la première fois. « Tu sais, quand tu sors de classe et que tu te dis : "J'ai fait ça de pas

---

16. À cause de la vague orange du NPD (Nouveau Parti démocratique) qui a balayé le Québec et l'Ontario, les Conservateurs ont formé un gouvernement majoritaire.

correct, et là, j'aurais dû faire ceci, ou... "?!» Cette insécurité dont elle parle, c'est pour l'instant tout ce que je connais.

Depuis que j'enseigne, c'est toujours comme ça: je n'ai jamais repris un cours tel quel, j'ai toujours changé quelque chose, et parfois, plusieurs choses. J'ai hâte qu'un de mes cours soit assez bon pour que je le reprenne tel quel, sans changer de textes ni d'activités pédagogiques. Pour l'instant, je suis toujours en train de me dire que ceci n'a pas marché ou que cela devrait être amélioré. C'est d'ailleurs un des buts de ces carnets.

Je croyais que c'était moi qui avais la bougeotte. Que c'était juste l'expérience du cégep qui rentrait (de l'expérience d'enseignement, j'en avais déjà pas mal). Je pensais que c'était une phase d'adaptation et qu'ensuite, je pourrais moi aussi faire un peu ce qu'on dit des profs: donner éternellement le même cours, paisible et pépère. Mais on dirait bien que je me trompais.

Cette bougeotte et cette insécurité ne partiront jamais complètement.

Vendredi 6 mai 2011 – (Semaine 14, mais cours 13)

La session achève vraiment. C'est le dernier cours d'exposés, il ne reste que le séminaire au prochain cours et il n'y a pratiquement rien de prévu au tout dernier, sinon le retour sur la session – ce que je ne dis pas, parce que personne ne viendrait.

Ce soir, je n'ai pas été strict sur le temps des exposés – encore. J'en ai laissé deux s'étirer. Il faut absolument que j'intègre la concision aux objectifs du cours pour la prochaine fois. Ce qui est moche, c'est qu'à cause des deux qui n'ont pas su être concis (et de moi), les trois derniers ont dû l'être trop. Carmen a dû terminer son exposé en vitesse, alors que c'était justement le plus intéressant, celui après lequel on aurait voulu discuter, parce qu'elle nous parlait entre autres de la Roumanie, où elle a grandi, sous Ceausescu. En plus, je n'ai pas eu le temps pour l'atelier, pour lequel j'aurais eu besoin d'au moins 45 minutes. Gaffe de jeune prof.

En tout cas, j'espère.

Pour revenir à Carmen, j'aime beaucoup cette femme. Elle est un peu plus vieille que moi, intelligente, articulée, gentille et parle très bien français, avec un charmant accent roumain. Je lui ai déjà enseigné en 103. Elle participe bien en classe, elle répond aux questions, elle est de ces élèves qu'on regarde en donnant un cours, parce que leur intérêt nous alimente. Ce qui est horrible, c'est qu'elle était ingénieure en Roumanie et qu'ici, elle doit retourner étudier au cégep – elle fait une technique humaine, en éducation à l'enfance ou en éducation spécialisée. Je n'ai rien contre ces techniques, mais quel étrange système nous avons, qui sélectionne des immigrants instruits, mais ne leur permet pas de travailler dans leur domaine! Nous faisons de l'immigration sélective pour attirer des cerveaux, à qui on demande ensuite de se requalifier, à un niveau scolaire inférieur. Notre système est une aberration!

Mardi 10 mai 2011 (Semaine 15)

14 h
Le dernier mardi! Enfin! Délivrance!

Cet après-midi, le cours sera tout de même chargé (d'exposés); on aura probablement tout juste le temps de répondre en vitesse à la petite question synthèse et pas du tout pour le retour sur la session, comme j'aime le faire.

Jeudi 12 mai 2011

Comme je l'ai écrit avant-hier, même si personne n'a dépassé le temps alloué pour son oral, on n'a pas eu le temps de discuter de la question synthèse, ni de faire le retour sur le cours. J'ai quand même proposé aux élèves de venir me rejoindre après mon cours du soir pour une bière de fin de session. Mais personne du groupe de jour n'est venu.

Dans le dernier cours du petit groupe du mardi soir, il y avait la reprise d'un exposé et le retour sur la session. La classe était à moitié vide. Comme une des deux partenaires pour l'oral n'était pas arrivée au début du cours, j'ai commencé par le retour.

J'aime relire le plan de cours avec les étudiants, leur demander si on a atteint les objectifs. On repasse les activités pédagogiques et je récolte les commentaires. C'est toujours constructif, ils ont de bonnes idées. Ceux qui ont participé à la discussion mardi ont dit avoir bien aimé les œuvres et les activités, et ils croient avoir atteint les compétences du plan de cours.

Je leur ai demandé ce qu'ils pensaient du fait que je les vouvoyais : ils ont aimé ça.

Quarante-cinq minutes après le début du cours, un élève que je n'avais pas vu depuis trois semaines se pointe : nous aurons donc deux exposés.

Le premier élève a fait son oral sans sa partenaire et sa très piètre performance lui vaudra un 10 sur 20, qui n'a rien à voir avec l'absence de la jeune femme : ennuyant, il ne regardait que sa tablette ; il n'avait pas de propos sur l'œuvre, qu'il a confessé ne pas avoir fini de lire! Calvaire, faites un effort!

Voilà exactement le genre de problèmes qui se retrouvent en concentré dans le petit groupe: il y a toujours plus d'élèves qui ne sont pas à leur affaire dans celui-là que dans les autres. Plus j'y pense, plus je crois que c'est parce que plusieurs de ceux qui s'y inscrivent sont ceux qui n'étaient pas à leur affaire et qui ont manqué l'inscription régulière. Ça fait un groupe épuisant – épuisant pour moi, mais aussi pour les élèves comme Francine, par exemple, qui ne s'est pas inscrite là par négligence, mais parce qu'une amie lui avait dit que mon cours était bon.

L'étudiant que je n'avais pas vu depuis trois semaines est le même qui a manqué un test de lecture pour un rendez-vous chez le dentiste, à la fin mars. Après son exposé très moyen, il est venu me donner le billet du médecin qui «justifie» le fait qu'il n'était pas là depuis trois semaines. «Mais... on a fait un séminaire de 10%, nous, pendant ce temps-là! Tout juste avant vos 10 jours de repos forcé, ne pouviez-vous pas prendre cinq minutes pour m'écrire et m'en aviser?» Il dit suivre neuf cours dans deux cégeps; sa mère vient de retourner en Algérie, lui laissant la charge de ses jeunes frères: toutes ces raisons expliquent son repos forcé et font, selon lui, qu'il devrait quand même réussir le cours. Je veux bien être empathique, mais je ne suis pas un pantin ! « Et, monsieur, vous m'aviez dit que si j'étais en situation d'échec, je pourrais reprendre le test de lecture... » Eh oui, je l'ai bel et bien dit. Moi et ma grande gueule ! « Je regarde tout ça et je vous écris. » (C'est aujourd'hui que je dois lui écrire. Je ne sais pas encore exactement quoi lui dire : j'aime pas être un chien sale, mais je ne crois pas qu'il a réussi le cours, même si son dernier oral était passable.)

Finalement, vers 20 heures, j'ai rejoint six ou sept élèves pour aller prendre un verre. En route, nous sommes tombés sur un de ceux qui avaient manqué le cours, il était allé souper avec une amie déprimée. L'air qu'il a fait quand il m'a vu ! On a bien ri – je n'étais pas pour en faire un cas ! Finalement, lui et son amie se sont joints à nous.

Autour de la bière, je suis passé du « vous » au « tu », on a appris à se connaître un peu, j'ai remis mon perçage[17]. Cette bière a été comme d'habitude un des plus beaux moments de la session. Un des plus beaux parce que c'est le moment où la relation maître élève

---

17. Je porte, quand je suis « en civil », un bijou dans le nez, que je ne porte pas en classe. Pas parce que j'ai peur de l'administration, mais bien parce que mon bijou est un peu provocant. Et si je veux provoquer les élèves, c'est avec des textes et des idées, pas avec un perçage. Mais j'adore leur air surpris quand ils me voient le porter et le contraste que ça fait, entre le gars qui a une barre dans l'nez et un prof de littérature.

s'estompe, où on peut parler de personne à personne, où j'apprends qui sont mes élèves, ce qui les motive, ce qui les allume, où ils se permettent de me poser des questions personnelles et où je peux parler le plus librement de littérature, sans programme ni plan-cadre, juste avec ma fougue et mon enthousiasme.

Je ne me souviens plus c'était en parlant de quoi, mais j'ai mentionné que je suis gay: «Ah oui? Ça paraît pas du tout[18]!» Une de mes belles élèves du groupe me dit alors: «Je dois te l'avouer, dès le premier cours, je t'ai trouvé super *cute*!» Je dis merci, gêné, et je confesse à quel point, moi aussi, je la trouve belle.

C'est aussi lors de ces soirées que je reçois plu-sieurs de ces remerciements, de ces «c'était mon meilleur cours de français», ou de ces «je n'avais jamais aimé (ou terminé) un roman avant» qui me retiennent de tout foutre en l'air.

C'est dans ces échanges que je vois que mon travail a un sens. Mes élèves révèlent avec enthou-siasme ce qui les a marqués dans le cours, ce qui leur a permis de réfléchir. Je vois que j'ai allumé quelques flammes: certains s'aperçoivent qu'ils peuvent aimer lire, d'autres *trippent* sur des œuvres ou découvrent des genres qui leur plaisent, comme en 104 avec le

---

18. C'est drôle, certains hétéros semblent penser que c'est un compli-ment, que ça «ne paraisse pas».

roman graphique. Et même quand la seule chose qu'ils ont vraiment apprise, c'est l'importance de bien s'exprimer, je suis content. En réalité, c'est probablement la seule récompense que nous ayons vraiment. C'est pas pour le salaire qu'on choisit d'être prof; que nos élèves aient de bonnes notes n'est pas vraiment une récompense pour nous (je suis content pour eux, mais ce n'est pas ça qui me donne envie de me lever le matin); de nos administrations, on ne reçoit qu'une reconnaissance en langue de bois; et de la part du gros de la société, pas de reconnaissance non plus, puisqu'on est juste des gardiens d'enfants avec trop de vacances et qui se plaignent pour rien, des profiteurs, quoi. C'est vraiment dans le regard brillant des élèves qui viennent prendre un verre pour jaser que je trouve l'énergie pour endurer tout le reste, si lourd.

Je suis content: ce sont surtout des élèves que j'aime bien qui sont venus, ceux qui me donnaient envie d'aller enseigner à ce petit groupe si difficile, et non ceux avec les excuses et les « Mais, monsieuuuuur... ».

Francine et d'autres étudiantes en éducation spécialisée m'ont diagnostiqué hyperactif. C'est trop drôle! Quiconque me connaît bien ne me penserait pas hyperactif, mes amis me savent aussi tranquille, ermite même, dans la vraie vie. Mes élèves, eux, ne voient que celui qui donne un spectacle et qui saute partout pendant le cours!

Il me reste maintenant trois cours, sur huit jours. En attendant, pour faire passer le temps plus vite, retournons corriger!

Samedi 13 mai 2011

Hier, dernier vendredi complet, avant-dernier cours. Vous vous dites sûrement que je ne fais rien d'autre que de décrire ce lent décompte jusqu'à la fin de la session. C'est pas faux. Écrire ces carnets, en ce moment, c'est d'abord un moyen de procrastiner, de ne pas corriger.

Mais la fin de session, c'est aussi un accomplissement: c'est la satisfaction d'avoir mené les élèves à bon port, de les avoir stimulés, de les avoir fait réfléchir, de les avoir poussés, si possible, à se surpasser (malgré mes doutes). Et, oui, c'est évidemment les vacances qui approchent.

⌣

Hier, c'était le second séminaire dans les deux groupes, celui sur la littérature migrante au Québec. En ce début de XXIe siècle, marqué par 30 années de grandes migrations, comment déterminer si une œuvre est québécoise (ou canadienne) ou non? Comment définir une littérature nationale si les auteurs sont nés ailleurs et parlent de cet ailleurs? Quels aspects de la migration les auteurs nous présentent-ils? Et comment cela participe-t-il à notre identité – collective comme individuelle? J'ai rencontré quatre demi-groupes et leur ai posé les mêmes questions quatre fois; j'ai assisté à quatre débats semblables – mais heureusement pas identiques. Aujourd'hui, je dois leur donner notes et commentaires.

C'est très intéressant de parler et de débattre de ça avec les élèves – davantage, à mon avis, avec des groupes multiethniques, donc, à mon collège, dans les classes de soir. Les élèves qui ont immigré ou les enfants d'immigrants expliquent que leur sentiment d'identité est divisé. Les Québécois « de souche » (j'en profite à chaque fois pour souligner que je ne suis pas un arbre et que je trouve l'expression socialement contre-productive) témoignent de leur perception de cette migration. On finit par remettre en question ce foutu « nous » que les Québécois utilisent, qui est si mal défini et si exclusif. Souvent, les élèves sont d'accord pour dire que ce sont des questions un peu futiles (pourquoi est-il important d'avoir un sentiment d'appartenance nationale, ne peut-on pas être citoyen du monde?), mais ils comprennent aussi que classer une œuvre, si ça ne change rien au plaisir de la lire, permet d'approfondir l'analyse de ce qu'elle dit d'une société. À mon humble avis, pour être citoyen du monde, il faut avoir une culture mère à partir de laquelle on peut comprendre les autres.

Malgré ce que les fonctionnaires du MELS veulent en faire, dans mon cours, la littérature redevient un peu un moyen de réfléchir sur le monde, et c'est génial.

Mercredi 18 mai 2011 (Dernière semaine)

Hier, c'était la journée internationale contre l'homophobie.

Comme pour les autres groupes, j'avais prévu un retour sur la session. Il n'y avait presque personne en classe[19]. Ça n'était pas un cours chargé, alors j'ai pris le temps de le commencer en parlant d'homophobie ; de toute manière, on allait finir plus tôt. J'ai demandé aux élèves s'ils avaient été témoins ou victimes de gestes homophobes pendant leur formation au collège. Non, pas vraiment, notre collège semble tolérant.

On parle du mot *gay*, qui veut souvent dire « plate » ou « laid » pour les jeunes de leur âge. Alexandre fait remarquer que ça peut tout de même blesser quelqu'un qui l'est ; j'explique l'effet sournois

---

19. Note de 2012 : Voir ce que je disais le 6 mai ! Je me mettais un doigt dans l'œil. Dorénavant, il y aura toujours une évaluation au dernier cours.

de ce qui semble banal : ils utilisent le mot sans penser aux homosexuels, mais à la longue, être gay devient ce qui est péjoratif. Ensuite, je demande ce qu'il en est dans les techniques « de gars » (génie mécanique, électrique, industriel) : serait-il possible pour un gars d'y faire son *coming-out* ? Ça serait plutôt difficile, me confirment-ils. Un étudiant dit que dans sa cohorte, ils suspectent un des gars de l'être, mais c'est pas officiel, et il doute que son *coming-out* serait bien reçu. Donc, même si notre collège est tolérant, tout est loin d'être rose.

Anis, le clown de la classe, qui revient d'une semaine passée aux États-Unis avec une centaine d'étudiants de collèges et d'universités dans le cadre d'une compétition de voitures, dit à la blague : « Je viens de passer une semaine avec 500 hommes et il n'y en a aucun qui a essayé de me prendre les testicules, alors… » Tout le monde rit, mais moi, je réponds tout de go : « Oui, mais moi, je le suis, gay, et pendant les 15 semaines où je vous ai enseigné, je n'ai pas essayé de vous prendre les testicules non plus, alors ça ne veut rien dire ! »

La face qu'il a faite valait cent mille piasses, et toute la classe a ri de bon cœur. Même qu'après, il m'a demandé si je blaguais ou si je l'étais pour vrai.

Après le cours, nous sommes allés prendre une bière. On était une douzaine, je crois. On a fini ça à cinq ou six au parc Lafontaine, avec un *six pack*, à discuter. C'était, comme toujours, très, très agréable. (Vous devrez me pardonner de ne plus décrire en détail ces rencontres avec mes élèves. C'est qu'elles ont généralement lieu sans repas préalable et sont bien arrosées. Quand je rentre à la maison le soir, je suis trop éméché pour avoir envie d'écrire, et le lendemain, les détails des conversations ne sont plus trop frais – à mon image.)

Vendredi 21 mai 2011 (Dernier cours)

D'habitude, dans l'autobus, je préfère lire qu'écrire, mais aujourd'hui, je crains d'avoir trop à faire en arrivant au collège (une heure avant mon cours) pour avoir le temps de raconter le courriel d'insultes que j'ai reçu ce matin.

Dans mon groupe du lundi après-midi (cours de ma collègue), il y avait deux gars qui, depuis le début de la session, n'ont pas montré beaucoup d'implication dans le cours: absence à presque la moitié des travaux pratiques, participation complètement ridicule au premier séminaire, participation correcte au second séminaire, même si je doute qu'ils aient lu le roman.

Lors du cours précédant les exposés, je rencontrais les équipes individuellement. Seulement un des deux était là ; il m'a dit qu'il allait chercher son partenaire et qu'il reviendrait avant la fin du cours, ce qu'il n'a pas fait.

Personne ne veut passer en premier pour les exposés, mais, comme c'est moi qui fais les horaires (en fonction du niveau de préparation des équipes) et que les absents ont toujours tort, dit-on, j'inscris les deux gars au premier cours d'oraux.

L'avant-veille de leur oral, je reçois un courriel de l'un d'eux, qui me demande de changer leur présentation de date. Les autres cours d'exposés sont remplis ; personne ne répond au message que j'envoie pour demander de changer de place avec eux. L'étudiant m'annonce donc qu'ils ne seront pas au cours et me demande s'ils doivent s'inscrire tout de suite au cours d'été – petit arrogant. Je leur propose de venir aux cours suivants, prêts à passer s'il nous reste du temps – en *stand-by*, quoi. Ils ne sont pas venus à celui où ils étaient inscrits, ni aux deux cours d'exposés suivants : ils ont manqué tous les oraux.

Je reçois cette semaine un courriel de l'un d'eux : il n'a pas encore remis le travail de session parce qu'il attendait de mes nouvelles et il n'est pas venu aux oraux parce qu'il ne savait pas s'il fallait y être. J'ai répondu que oui, il fallait y être, et qu'il pouvait encore remettre le travail de session. Je savais qu'ils couleraient le cours et je ne me sentais pas mal.

Et voilà que ce matin, je reçois le courriel de bêtises. J'ai envie de le copier ici, mais je me retiendrai.

En quelques mots, dans le premier paragraphe, il dit que c'est de ma faute s'ils n'ont pas fait leur oral, que la définition de *stand-by* n'était pas claire, et que c'est de ma faute aussi s'ils ne savaient pas s'ils devaient venir écouter les oraux des autres. Jusque-là, j'encaisse, c'est juste des bêtises.

Deuxième paragraphe : il s'acharne à dire que je l'indiffère hautement, moi, mes cours, mes discussions inintéressantes, mon attitude de fausse ouverture, mon narcissisme pédagogique, et je ne sais quoi d'autre – ah oui, ma fixation sur l'Allemagne, si bien qu'il clôt en disant que je fantasme sur l'idée de me faire empaler par un casque de l'armée de Bismarck. Il signe en mentionnant son mépris suprême à mon égard et dit que ça ne vaut pas la peine de lui répondre (et il inclut le nom de son partenaire à la signature).

Le cœur me débat, j'enrage, je suis blessé et en colère.

Contrairement à ce que m'a écrit la folle de la session passée, le tout est plutôt bien tourné, presque sans faute.

Je n'ai pas eu la sagesse de simplement effacer le message et de ne pas répondre : j'ai répondu avec ironie, remarquant que son génie m'avait percé à jour, que tous les élèves qui ont aimé le cours et qui m'ont remercié ont été bernés (car j'ai reçu en même temps que ses bêtises le courriel d'une élève de son groupe, me remerciant pour son «meilleur cours de français», mais ça, je ne le lui ai pas dit); j'ai souligné que s'il avait investi la même énergie dans le cours que dans ce courriel, il aurait bien réussi. Quand on travaille si peu, considérer que tout nous est dû est bien sûr la meilleure attitude à adopter! Je lui ai souhaité beaucoup de chance dans les cours où il traînerait dorénavant son génie et je l'ai remercié de partager ses fantasmes sexuels avec moi.

Pourquoi un courriel si idiot, si peu justifié, efface-t-il tous ces autres qui font du bien? Tant de mercis, tant d'enthousiasme quant à mon cours, tant de témoignages qui me montrent que je fais bien mon travail, qu'il est important et que je suis ici à ma place...

Je sais que je ne fais pas l'unanimité, mais j'aimerais que les élèves qui n'aiment pas mon cours, mon enseignement ou moi-même ne se sentent pas le besoin d'en venir à m'insulter. Commentaires constructifs bienvenus, insultes *ad hominem*, moins...

Ça fait juste mal. Mal comme lorsqu'on me traitait de tapette ou de fif dans la cour d'école, même si dans cette lettre, c'est pas le commentaire homophobe qui me blesse le plus. Mal comme une perte de confiance, comme une trahison. Mal parce que je me

suis présenté à eux vulnérable, en avouant honnêtement ce que je ne savais pas, en construisant le cours
en fonction de leurs besoins et de mes connaissances,
mal parce que quelqu'un en profite pour me piquer
juste là où la carapace finit.

(Écrit le lundi 23 mai 2011)

Arrivé à l'école, j'étais encore sonné par le courriel. La
plaie était vive, mais être prof, c'est un peu comme
être comédien : quand on est en représentation, on se
laisse emporter par notre personnage et par ce qu'on
a à faire, et on s'oublie. C'était la même chose quand
j'étais barman, je suis donc habitué. J'ai ravalé ma
douleur et j'ai donné mon cours.

Dans le dernier cours du groupe du vendredi soir,
il n'y avait pas grand monde, évidemment. Moins de
la moitié du groupe. On a fait le retour sur la session
comme prévu et ça a bien été.

Et comme prévu, par la suite, on est allés prendre
quelques verres. Deux ou trois étudiantes qui avaient
un examen le lendemain sont tout de même venues
prendre un bref jus d'orange, pour discuter un peu.
On devait être une quinzaine ; ça a été une belle
soirée, assez bien arrosée. Et tous les commentaires
positifs m'ont (presque) fait oublier l'affront du matin :

- Francis m'a dit que j'ai été un des quelques profs qui ont fait que ça aura valu la peine de choisir ce collège.

- Janni, celle que j'ai aidée jusqu'à 11 heures, m'a expliqué presque en pleurant pourquoi sa mère m'aimait tant : née de parents hispanophones et étant allée à l'école dans une polyvalente très multiethnique, Janni a appris un français métissé, influencé par les Québécois, les Haïtiens, les Italiens, les Latinos de son école. C'est avec moi, pour la première fois, qu'elle s'est mise à mieux parler – donc à se faire mieux comprendre – et à penser en français.

- Karla (30 ans, arrivée d'Amérique du Sud à 18 ans) m'a rappelé un moment de la session dernière, en 103, où elle était à un cheveu d'abandonner. Je lui avais dit de venir me voir, je lui ai expliqué ce qu'il restait à faire et comment réussir. Elle m'en a remercié encore vendredi, en ajoutant qu'elle aurait probablement abandonné le cégep tout court.

- J'ai raconté le courriel d'insultes du matin. Plus tard dans la soirée, Sébastien prend la peine de m'en reparler et de me dire : « Tout sauf condescendant et borné – c'est vraiment pas vous, ça ». (Et il doit bien en avoir une idée, ça fait deux sessions que je lui enseigne, à lui aussi.)

Ça fait du bien. Merci, *gang* !

Lundi 23 mai 2011

Vendredi en journée, avant de répondre au crétin, pour me défouler, j'ai posté sur un réseau social ce qui m'arrivait. Plusieurs amis ont écrit combien ils étaient choqués. Quelqu'un a toutefois souligné le fait que l'élève a droit à son point de vue et que je ne peux pas plaire à tout le monde. J'ai dit que je le savais, et j'ai copié le second paragraphe du courriel de l'étudiant. La violence de ses commentaires a fait réagir tout le monde. Plusieurs ont parlé clairement d'homophobie, et j'ai encore des nouveaux commentaires trois jours plus tard.

Depuis, il y a la fin de semaine qui a passé, ça me dérange moins, presque plus.

J'ignore si un jour je serai assez détaché pour que quelque chose comme ça ne me fasse plus rien. Si oui, c'est peut-être que ce sera le temps de changer de *job*.

Vendredi 27 mai 2011

J'ai pratiquement fini la session. Il ne me reste que les travaux des retardataires à corriger. Heureusement, car le cerveau commence à ne plus fonctionner : je viens de me présenter, aujourd'hui, à un rendez-vous chez le doc prévu pour lundi dernier.

J'ai fait une connerie semblable mercredi. En session, les réunions départementales sont le mercredi à 15 h 30. Quand j'ai reçu la convocation pour cette dernière assemblée, je l'ai à peine ouverte et j'ai noté la date dans mon calendrier. Ce mercredi, j'ai pris un rendez-vous avec une étudiante à 14 heures, avec un autre à 15 heures, j'avais l'assemblée prévue à 15 h 30 et mon cours de danse tout de suite après – ce qui me donnait une excuse parfaite pour ne pas aller au party du département.

Pourquoi ne pas vouloir y aller? Je n'ai rien contre les collègues – je m'entends bien avec tout le monde –, mais mon ours intérieur se sentait sauvage. J'avais pas envie de parler au monde. C'est un contraste en moi: je suis extroverti et sociable, j'ai beaucoup d'entregent, et en même temps, je suis assez solitaire et souvent dur à sortir de la maison. Et mercredi en journée, j'étais un ermite en sortie.

La rencontre avec mon étudiante a duré plus longtemps que prévu, je lui ai fait des recommandations pour son voyage à Berlin. J'ai manqué mon rendez-vous avec le second étudiant. Et quand je suis descendu pour me rendre au local de l'assemblée départementale, j'ai croisé tout le monde qui en sortait: c'était à 14 heures! J'ai vraiment besoin que la session finisse!

On me demande: «Viens-tu prendre une bière?» Bon, OK, je ne suis pas sauvage au point de refuser toute socialisation, et j'ai trois heures devant moi.

Je vais au bar en face avec eux, nous sommes une vingtaine à profiter de la terrasse, à célébrer la fin de la session. Ça boit, ça fume, ça discute avec entrain, ça bourdonne. Je bois une bière, puis une deuxième.

Je fais la connaissance d'un collègue de longue expérience que je n'avais jamais croisé. Il vient une fois l'an aux réunions, nos bureaux ne sont pas dans les mêmes couloirs, je n'avais même jamais entendu parler de ce mouton noir du département. J'apprends qu'il suit peu les recommandations départementales, comme la grille commune de correction, car il est contre l'uniformisation de nos programmes. On ne va pas en profondeur dans le sujet, mais ça me fait du bien d'entendre son point de vue: je ne suis donc pas le seul à nager à contre-courant.

Vers 17 h 30, la majeure partie du groupe part pour le restaurant, un resto tapas à 40 $ par personne. Je suis serré, financièrement, alors je n'avais pas confirmé au comité social ma présence. Je maintiens mon idée de ne pas y aller, mais j'abandonne bientôt la résolution d'aller à mon cours de danse. Je suis un peu pompette, je décide plutôt de rester avec A. et quelques autres qui ne vont pas non plus au resto. On continue de jaser.

J'ai beau me sentir ours, ça fait du bien de parler avec les collègues : ils comprennent ce que je vis, ils partagent certaines de mes frustrations, et leur expérience me permet de relativiser ce qui m'enrage, de remettre en perspective certaines choses.

C'est quand les conversations en arrivent à la littérature que ces sorties entre collègues deviennent géniales : qu'on parle de nos auteurs préférés, des textes qui nous ont choqués, bouleversés, transformés, d'œuvres qu'on vient de découvrir ou qu'on veut lire, il y a toujours des étoiles dans nos yeux, c'est d'un enthousiasme communicatif! J'avais presque envie d'aller lire des recueils de poésie à les écouter parler, alors que ce n'est pas le genre qui me rejoint le plus en général. C'est tellement dommage qu'entre profs de «français», il faille attendre de sortir de l'école pour parler de ce qui nous passionne.

Quand on a eu fini nos bières, ma collègue A. me propose qu'on aille rejoindre le groupe au restaurant. «Sans prendre une bouchée, toi et moi, avant? Continuer à boire sur un estomac vide? C'est pas raisonnable. — Juste un verre...» Chu facile à convaincre pour ce genre d'affaires là.

Au restaurant, l'ambiance est bonne, le monde est volubile, un peu *feeling*, ça rigole, ça déconne – comme à tout bon party de bureau. Évidemment, après mon premier verre de vin, j'en prends un second, avec dans l'estomac un seul petit pilon de poulet que j'ai subtilisé discrètement – alors que je m'étais engagé auprès de la serveuse à ne pas manger, puisque je n'avais pas payé.

Je placote avec l'une, avec l'autre, j'apprends qu'une de mes collègues, que je ne connaissais que de vue, ne vient pas des études littéraires, mais du milieu des communications, elle a œuvré longtemps en radio. Je suis content de voir la diversité du département : entre les *trippeux* de communication et les linguistes, entre les poètes, les *théâtreux*, les amateurs de classiques et les très postmodernes, on a vraiment une belle palette de passionnés. C'est parfait pour les étudiants – et ça serait encore mieux s'ils pouvaient choisir leur prof en fonction de leurs propres intérêts !

Et pendant tout ça, moi, je commence à être « *More than a feeling* ».

Un de nos collègues quitte le collège pour aller enseigner à l'université. On lui remet une carte et un cadeau. Son petit discours de remerciement me surprend : il dit qu'il est content si des trente-quelques nullités assises devant lui dans une classe, un seul devient une demi-nullité la fin de session venue, ou un trois quart de nullité quand l'élève l'apostrophe sur la rue quatre ans plus tard en le remerciant de l'avoir marqué. Ça m'a choqué qu'il parle des élèves comme des nullités, même si le ton n'était pas méprisant. C'est tellement pas comme ça que je les perçois ! Ils n'avoir que de la pitié pour le triste sire : il n'avait plus que l'attaque pour cacher sa vulnérabilité. C'est dommage qu'un garçon intelligent – probablement un enfant gâté à qui on a passé beaucoup de caprices, surtout qu'il est si mignon ! – fasse des niaiseries pareilles. C'est au psy de l'école que j'aurais dû transférer son courriel. Ou à son API et à la direction des études.

Ce qu'il faut, c'est que je trouve le moyen de faire émerger cette pitié plus tôt en moi, qu'elle remplace la douleur et la colère des premières heures.

Cet après-midi, j'ai rencontré des anciens collègues d'université en Études françaises. On ne se voit pas souvent, mais c'est sympa quand ça arrive.

S. n'a pas travaillé en lettres, mais elle a publié plusieurs textes. Elle vient de quitter sa *job* en restauration dans le but de se rapprocher de la littérature. Elle a pensé à l'enseignement, mais elle a l'impression que tous ceux qui sont devenus profs de cégep ne sont pas heureux de leur choix. Je n'ai pas pu la contredire et lui ai expliqué pourquoi, moi aussi, je suis mitigé.

« Et si ta priorité, c'est de continuer à écrire, je veux juste te dire qu'en début de carrière de prof, ça peut être dur de trouver l'espace et l'énergie pour créer. »

Il y a d'autres boulots plus propices à la littérature que celui de jeune prof.

ne sont pas nuls ; ils ont du potentiel, et je dois leur montrer comment se développer. En fin de compte, il a très bien rattrapé et terminé le tout d'une belle manière, mais j'étais quand même un peu mal à l'aise.

Finalement, vers 23 h 30, le personnel du resto se met à nettoyer, et nous comprenons que nous devons partir. Les sept derniers d'entre nous vont dans un bar pas loin et restent jusqu'à la fermeture. Pas fort pour un gars qui comptait passer une soirée pépère à la maison !

A. et moi n'avons pas mangé : je suis rentré très saoul.

⌣

À la réunion départementale que j'ai manquée, les coordonnateurs ont annoncé officiellement que j'aurais un contrat annuel dès l'automne prochain – on me l'avait dit informellement la veille. Cela signifie que je ne signerai qu'un contrat pour l'année scolaire au lieu de un par session et qu'en conséquence, je pourrai être malade, mes disponibilités seront payées et mon salaire sera réparti sur 12 mois – donc j'aurai un revenu l'été prochain[20] et si le collège faisait faillite en décembre (!), on serait obligé de me payer jusqu'en mai.

---

20. Avant de reprocher aux professeurs leurs longues vacances, il faut d'abord comprendre que nous sommes payés pour 10 mois

Je suis un peu plus près de cette permanence qui me fait si peur, un pas plus près de devenir ce cliché du vieux prof fonctionnaire et blasé, un pas plus près d'enterrer mes rêves d'une carrière artistique : ça m'angoisse. Je suis content d'avoir un contrat annuel, mais je ressens en même temps l'urgence de tout foutre là avant qu'il ne soit trop tard pour rêver.

En ce qui a trait aux corrections qui me restent, je constate une fois de plus la faiblesse de ma volonté de jeune prof. Bien que je commence toujours une session en expliquant aux élèves mon concept de capital de sympathie – à 100 % pour tout le monde au début de la session, qui diminue au fil du manque d'implication des élèves (retards, absences, devoirs non faits, etc.) –, je pense que je ne m'en sers pas bien. J'ai écrit un courriel à mes élèves ayant une note finale dans l'intervalle d'incertitude (entre 55 et 60) pour leur proposer le travail qui allait leur donner les quelques points manquants. Ce n'est qu'après coup que j'ai réalisé que je me donnais de la correction supplémentaire pour deux élèves qui ont manqué, qui l'examen de mi-session, qui les deux séminaires, sans justification dans les deux cas, pour 20 % de la note finale. Quel con je suis d'être aussi gentil !

_____

de travail, étalés sur 12 mois de payes; ce n'est pas tout à fait la même chose que dans d'autres branches.

Donc, pour continuer, je dois m'endurcir. Pou durer, je dois penser plus à moi et moins aux élèves. J dois résister à mon empathie, ne pas travailler comm un fou pour cette institution impersonnelle qui ne m'empêchera jamais de me surmener. Je ne suis tou-jours pas certain de vouloir devenir un prof quand je serai grand...

Terminons au moins l'entrée d'aujourd'hui par quelque chose qui remonte le moral : encore un beau courriel de merci. Marie-France avait abandonné le 104 trois fois parce qu'elle ne voulait pas faire son oral : elle m'a remercié d'avoir donné un cours si inté-ressant qu'elle est restée toute la session – son exposé sur Guy Delisle était excellent –, mais surtout un cours qui lui donnait envie de venir en classe chaque mardi soir (dans le petit groupe).

Je dois bien faire quelques bons coups !

Dimanche 29 mai 2011

Hier soir, j'ai de nouveau parlé avec des amis du d'insultes de la semaine dernière. On se deman comment faire pour ne pas que de tels courriel blessent à l'avenir. C'est certain que quelques après le coup, je suis capable d'être rationnel

Lundi 30 mai 2011

Hier soir, un copain est venu souper. Après un bac et une maîtrise en littérature, après des charges de cours à Concordia en faisant son doc en cinéma, il a enseigné dans un collège franco pour une session ou deux. Il vient de terminer sa seconde session à Vanier, en *Humanities*[21], et il jubile. Il sait après deux sessions seulement qu'il veut faire sa carrière là et y passer les 30 prochaines années. Je suis stoïque : je suis tellement loin de son enthousiasme !

Il m'a expliqué comment fonctionnent leurs cours d'*Humanities*. D'abord, l'objectif du cours est l'apprentissage de la pensée critique par la philosophie, les arts et les lettres. À son collège, pour chacun des trois cours, il existe une quarantaine de libellés, et quand un prof donne un cours, il peut en proposer un nouveau, selon ce qu'il désire enseigner. Mon ami, en cours d'été, donnera un cours d'éthique à partir de films de science-fiction. Pour un gars curieux d'ouvrages intellectuels, très au courant de l'art, c'est une structure parfaite pour lui. Il va pouvoir se renouveler à souhait tout au long de sa carrière, continuer à changer ses cours au gré de ses intérêts et de ses recherches.

---

21. L'équivalent des cours de philosophie pour les collèges anglais.

J'aimerais, moi aussi, que les élèves puissent choisir leurs cours de littérature en fonction du contenu, et renouveler les miens au-delà de la simple substitution de Molière par Marivaux. J'aimerais pouvoir utiliser mes cours pour me stimuler intellectuellement, moi aussi. Mais tant que notre *job* sera d'enseigner aux élèves l'Épreuve uniforme de français, on ne nous laissera pas faire ça.

Ces temps-ci, dès que je pense à ma *job*, je deviens maussade. Quand, au cours du souper, j'ai annoncé à mon ami que j'aurais un contrat annuel dès l'an prochain, il s'est réjoui : « Wow ! Tu dois être excité ! » Je pense que j'avais plus d'entrain en montant dans le Monstre à La Ronde, l'été passé, qu'en lui répondant mon terne « oui, oui ». Il y a quelque chose qui ne va pas dans ma p'tite tête.

Tout le monde voudrait que je trépigne de joie. Ça m'énerve. Je vais faire le même travail, avec un peu plus d'élèves par classe et des conditions (enfin) normales — car ce sont mes conditions actuelles qui sont scandaleuses, pas celles de jour, qui sont merveilleuses. Oui, oui, je suis content d'avoir de vraies assurances, des congés de maladie et l'été prochain payé, mais y a-t-il de quoi sauter partout ? C'est la suite logique de la plus ou moins lente assimilation de mon corps par le système, depuis que j'ai mis en 2003 mon doigt dans l'engrenage.

À cette époque, j'ai trépigné : ça faisait trois, quatre ans que les CV que j'envoyais se méritaient à peine un accusé de réception. J'avais hâte d'enseigner, de me sentir vivant devant une classe. J'avais l'impression que c'était le point culminant de mes études. J'étais heureux quand j'ai eu ma première entrevue, et comme j'ai été assez bon, j'ai eu la *job*. J'étais super content quand ils m'ont appelé pour un remplacement : j'étais enfin quelque part !

J'ai déchanté depuis.

Je n'aime pas cette longue face que j'avais devant l'enthousiasme de mon ami, hier soir. Mes réponses étaient blasées, je me tapais sérieusement sur les nerfs. Mon « oui, oui » me fait réaliser qu'on dirait que pour moi, l'enseignement n'est qu'un pis aller. Un pis aller, faute d'avoir été accepté dans les écoles de théâtre, puis celles de cinéma ; pis aller faute d'avoir eu la persévérance de continuer à faire des films – sans moyens, sans formation, sans subventions, avec la seule force de l'amitié, dans l'espoir que ça débouche –, faute d'avoir le courage de tout lâcher pour aller faire mes classes comme troisième assistant sur un plateau et retourner au bas d'une autre échelle, sur appel, avec l'espoir de réaliser un jour. Pis aller, faute d'avoir le *guts* de tout foutre en l'air.

En fait, pis aller simplement parce que c'est la vie réelle au lieu des superbes fantaisies bariolées que je tricote autour de ma vie.

Je le sais, toutes les *jobs* ont leurs irritants et leurs ennuis – et pas autant de vacances.

Au sujet des vacances, maintenant. C'est drôle, mais je me sens bizarre. Ce matin encore, on m'a dit : « Wow ! Deux mois en Europe, c'est super, ça ! » Certain que c'est super. Mais pourquoi est-ce que je ressens toujours le besoin de me justifier ? Pourquoi je me sens coupable d'avoir des plus longues vacances que tout le monde ? Après tout, avant d'enseigner au cégep, quand je travaillais dans le communautaire, avec six ans d'ancienneté, j'avais quelque chose comme deux mois de vacances et de congés par an – je ne voudrais pas d'une *job* où je devrais travailler 50 longues semaines par année ! Sur ce plan, les Québécois en ont beaucoup à envier à plusieurs peuples européens. En Allemagne, par exemple, dans une *job* normale, au début, on a 20, 21 jours de vacances par année : un mois !

L'autre remarque que je veux faire sur mes vacances, c'est qu'elles n'en sont encore qu'en théorie. Chaque jour, je regarde mon courriel de l'école – même s'il n'y a presque rien qui rentre. Chaque matin, je me demande ce qu'il reste à faire, à corriger, à préparer – même s'il n'y a plus rien. Mon cerveau ne veut pas encore que je sois en vacances. Et mon école en tient compte : si j'avais un contrat annuel, je devrais rester disponible jusqu'au 15 juin.

Heureusement, j'ai cette traduction à faire pour le cours que je suis à l'université, et j'ai mon roman que je veux réécrire – j'espère que ça suffira pour me donner une discipline jusqu'à ce que j'aie décompressé.

Jeudi 2 juin 2011 – Vol Montréal Zurich

Un autre courriel qui fait du bien ! Judith, une étudiante de jour, dans un des groupes où j'ai donné le cours de ma collègue, était une de ces élèves à qui il est très agréable d'enseigner : attentive, impliquée, ses interventions étaient pertinentes et intelligentes. Elle a lu le recueil des créations littéraires les plus achevées de mes cinq groupes – que j'ai finalement fait, mais au lieu de l'imprimer et de le distribuer au dernier cours, j'ai fait un document informatique que j'ai envoyé à tous. Judith s'est surprise du talent de ses collègues étudiants :

La légende était donc vraie, il y a réellement beaucoup d'élèves qui sont bourrés de talents au cégep (quoi que j'imagine que c'est comme pour les pépites d'or, il faut pas espérer en dénicher sans se mouiller un peu). À ce propos, merci d'avoir osé, d'être resté vous-même sans vous barricader derrière un statut de prof ou quoi que ce soit, ça a vraiment donné au cours et à la session plus de mordant. (J'ai de mauvaises blagues de vampires qui me viennent en tête, un prof de soir, whoouuu!)

Merci, merci, merci mille fois. Malgré ce qu'en a dit l'autre con d'il y a quelques semaines, qui était dans le même groupe qu'elle, j'essaie de ne pas être un prof qui impose son savoir, j'essaie de me remettre en question, et ça fait du bien de voir que certains le remarquent et l'apprécient. Ça fait beaucoup de bien.

La seule chose qui fasse plus de bien encore, c'est de savoir que je serai dans quelques heures à Zurich, dans les bras de mon amoureux, que je n'ai pas vu depuis janvier!

Mardi 7 juin 2011

(Copié du journal intime)

Après le départ de D. pour le travail ce matin, je me suis rendormi et j'ai rêvé que j'assistais à un spectacle. Le deuxième monologue était fait par mon ex, et c'était drôle. C'était lui que j'étais venu voir – peut-être qu'on était encore ensemble, car je me souviens d'un sourire et d'un signe de tête que je lui ai adressés.

Le numéro suivant s'appelait «Les Bébés frisés» et était plate. Je me suis donc réveillé.

Il est midi passé. Depuis le matin, j'ai regardé ce qui se passait sur Facebook (démission au PQ de Louise Beaudoin, de Pierre Curzi et de Lisette Lapointe) et j'ai lu deux chapitres de *The Golden Dog* de William Kirby[22].

Je suis rendu au chapitre 41, à la page 485 (sur 580) et enfin le roman devient enlevant. La mort de Caroline de Saint-Castin et les intrigues pour garder Le Gardeur de Repentigny ivre et loin de sa sœur sont bien menées, on a envie de continuer même si le style de Kirby a encore ses lourdeurs. J'ai aussi de plus en plus envie d'aller faire des recherches historiques sur Bigot, les Philibert, les de Repentigny, sur Angélique des Meloises et sur La Corriveau. Et sur William Kirby. Et sur le roman anglo-québécois au XIXᵉ siècle.

Mais ce qui amène ceci dans mes carnets, c'est mon problème pour la journée – et pour les semaines à venir : je ne suis pas habitué à avoir des vacances, je m'habitue mal à l'oisiveté. À l'université, je travaillais l'été pour payer l'hiver. Quand j'étais dans le communautaire, outre un petit voyage en région, j'utilisais

---

22. Ce roman québécois publié en 1877 a été traduit par Pamphile Le May en 1884, sous le titre *Le Chien d'or,* et a été un des grands succès littéraires de notre XIXᵉ siècle.

mes vacances pour rédiger mon mémoire de maîtrise. Depuis que j'enseigne, j'ai donné des cours privés et j'ai travaillé dans un bar pour payer le loyer – vu que je n'avais pas de salaire estival. À Berlin, j'étais travailleur autonome, je n'avais pas vraiment de vacances, même si je pouvais m'offrir tout au long de l'année de petits voyages. Et depuis ? Il y a deux étés, j'ai eu un déménagement outremer à préparer et des dossiers à clore à Berlin ; j'ai certes voyagé, lu, je me suis reposé, mais il y avait toujours du « travail » à faire en arrière-plan. L'été dernier, j'étais dans une situation semblable à celle de maintenant. C'est donc mon deuxième été avec des vacances de prof et ce n'est que l'été prochain qu'elles seront payées. (Heureusement que le bar m'a permis de faire des économies !)

Je me sens coupable de ne pas simplement aller dehors me promener, de ne pas profiter de la belle journée, du doux farniente. Je devrais être en train de découvrir tous les racoins de Zurich, de me faire bronzer, d'être activement oisif – mais non. Je préfère rester en dedans, au frais, à travailler un peu mon roman, puis ma traduction. Comme si j'avais besoin de travailler. Quiconque n'a que deux semaines de vacances doit commencer à penser que je suis juste fou.

Mais dans le fond, est-ce que j'ai pas le droit, aussi, de profiter du congé pour travailler à mes projets personnels ?

Certain! Faut juste que j'apprenne à ne plus me sentir coupable.

Mercredi 8 juin 2011

Voilà presque une semaine que je suis parti de Montréal. On dirait qu'on a attendu mon départ pour ramener l'éducation supérieure dans l'actualité : je viens de lire sur le site du *Devoir* la montée de lait que des profs de cégep écœurés par leur direction (au collège de Saint-Hyacinthe) ont publiée sous le titre « Manifeste pour un Québec éduqué », le 3 juin, le lendemain de mon départ : ils lui reprochent une pédagogie de réussite à tout prix.

Plusieurs ont répondu sur les sites des journaux à ce texte, que je trouve agressif. Sur un réseau social, un de mes anciens camarades d'université publie sa réponse et demande des signataires. En ligne, chacun a son mot à dire – surtout des profs et des ex-profs. De clic en clic, je tombe sur une entrevue donnée par Lucien Francoeur, parue une semaine plus tôt, et sur ce que des étudiants lui ont répondu par la bouche des médias. Tout un beau bordel.

Je suis content qu'on discute de l'éducation collégiale sur la place publique ; j'ai l'impression qu'en général, les débats sur l'éducation portent plutôt sur l'enseignement primaire ou secondaire. Seulement, j'ai l'impression de lire un combat de sourds enragés plutôt qu'un échange constructif : tout le monde utilise des images fortes pour marquer son point, on sent beaucoup de colère, d'exaspération et d'épuisement entre les lignes, et tout le monde ne parle pas de la même chose. On pourrait me faire ce reproche pour mes carnets : je fais plus de *bitchage* que de commentaires constructifs. Est-ce parce que nous sommes si passionnés que nous réagissons si vivement ? Ou parce qu'on est à bout ?

Les seuls qui n'ont rien publié autour de cette querelle, ce sont les *ceuses* du très-haut ministère de l'Éducation, du Loisir et du Sport, qui doivent être en pleines consultations, commissions, réunions pour déterminer laquelle ou lequel des éminents pédagogues à gogo est le plus apte à répondre au Manifeste. (Je sais, c'est cynique, bête et méchant, et probablement pas vrai, mais ça me défoule.)

Voyons donc un peu les arguments des diverses parties, pour essayer d'y voir plus clair.

Le Manifeste[23]

Je vois deux éléments principaux dans le texte des profs de Saint-Hyacinthe : la réussite et l'accompagnement des élèves.

Réussite. D'abord, les profs de St-H. déplorent la politique de réussite à tout prix. Ils déplorent l'influence des « pédadingos » qui persistent à ajouter toujours des mesures pour augmenter les taux de réussite ; ils disent non à une « éducation *fast-food* » où on est certain d'obtenir son diplôme, puisqu'on le paie.

Accompagnement des élèves. Les profs de St-H. déplorent la « pédagogie universelle de la première session » qu'il leur faudra appliquer – j'ignore ce que c'est – pour mieux accueillir les élèves de la Réforme. Ils déplorent qu'on leur demande de prendre les élèves par la main (je suppose qu'ils exagèrent lorsqu'ils mentionnent qu'on leur demande de donner les réponses d'examens).

---

23. Collectif, « Manifeste pour un Québec éduqué », *Le Devoir*. [En ligne]. http://www.ledevoir.com/societe/education/324618/collegial-manifeste-pour-un-quebec-eduque. Consulté le 1er avril 2012. (Voir les commentaires de Gilles Roy et de Pierre Smith sur la même page.)

- Je n'ai jamais eu aucune pression de la direction des études de mon collège au sujet du taux de réussite de mes étudiants, mais je trouve scandaleux qu'on puisse demander celle de tous les élèves. Si je ne suis pas capable de faire échouer un élève, que vaut la réussite de mon cours ? Fixer un taux de réussite, pour continuer de le hausser, n'est-ce pas du nivellement par le bas ?

- J'aime croire que je donne aux élèves les outils pour réussir mon cours. S'ils échouent, c'est soit par manque d'assiduité et d'application, soit parce que je considère qu'ils gagnent à refaire le cours. La réussite à tout prix est une aberration.

- Les soucis des profs de St-H. quant à l'accompagnement rejoignent une de mes craintes pour la prochaine session, dont j'ai déjà parlé. Je ne suis pas un prof qui accompagne beaucoup les élèves ni les tiens par la main : par exemple, j'oublie parfois de rappeler les échéances au fur et à mesure qu'elles approchent – je crois que je vais davantage le faire de jour que je ne le faisais de soir[24].

- Je ferai des efforts pour aider les élèves à s'adapter au cégep, mais je ne ferai que la moitié du chemin : à eux de faire l'autre. J'espère que je

---

24. Note de 2012 : Je l'ai fait davantage à l'automne 2011. C'est continuellement à améliorer.

réussirai à leur donner le goût de la rigueur et de l'apprentissage – et cela ne se fait pas sans souffrir un peu. C'est cette soif d'apprendre qui devrait les tirer vers moi (et vers leurs autres profs) et leur permettre de s'adapter à l'enseignement supérieur – pas des guili-guili.

Finalement, je suis plutôt d'accord avec les idées de base du manifeste, mais j'aime pas la formulation. Je ne signerais pas ça.

Vendredi 10 juin 2011

Suite de l'analyse des débats : le contre-manifeste[25]

Un collectif d'Ahuntsic, de Valleyfield, de Montmorency, d'André-Laurendeau et de Dawson répond au premier manifeste. C'est le texte que j'ai lu sur Facebook avant-hier, écrit par un copain, mais je ne l'ai pas signé non plus. Ils prétendent réconforter les

---

25. Collectif, « Réponse au Manifeste pour un Québec éduqué - Vous n'êtes pas de petits "morveux" qu'il faut "moucher" », *Le Devoir*. [En ligne]. http://www.ledevoir.com/societe/education/324975/reponse-au-manifeste-pour-un-quebec-eduque-vous-n-etes-pas-de-petits-morveux-qu-il-faut-moucher. Consulté le 1er avril 2012. (Les citations tirées des commentaires sur cet article proviennent aussi de cette page.)

finissants de cinquième secondaire qui auraient été effrayés par le Manifeste, en défendant la pédagogie, malmenée par les autres.

D'abord, je trouve l'intro agressive : « Chers élèves de cinquième secondaire, le manifeste vous a fait dresser les cheveux sur la tête ? Rassurez-vous, il y a aussi des professeurs et des professionnels qui ont à cœur votre réussite. Vous pouvez franchir les portes d'un cégep sans danger. » Franchement.

Ils accusent les auteurs du premier texte de mépris, ils disent aux jeunes que les profs ne sont pas tous comme ceux qu'ils décrivent comme rigides et dépassés, refusant de s'adapter. Ils décortiquent les arguments du Manifeste et les tordent pour convaincre les élèves que la pédagogie est là pour eux, presque contre les mauvais professeurs...

Comme si ceux de St-H. se plaignaient parce qu'ils se foutent des élèves et de leur réussite.

Le Manifeste est exagéré (reconduire à la porte, donner les réponses), certainement par effet de style ; les auteurs du contre-manifeste prennent ces exagé-rations au premier degré et les interprètent comme du mépris envers les élèves. Moi, j'y voyais de l'ironie, adressée à l'administration.

Les signataires du contre-manifeste répondent aux premiers que, selon eux, favoriser la réussite, ce n'est pas nécessairement abaisser les exigences.

C'est comprendre qui sont les élèves et le monde dans lequel ils ont grandi, pour les mener à plus de maturité. Je suis d'accord avec la seconde portion de l'énoncé, je veux aussi leur donner de la maturité intellectuelle, mais je crois que «favoriser la réussite», ça n'est que du jargon pédagogique, qui concerne moins les étudiants comme individus que les statistiques des directions et du MELS – ça n'a rien à voir avec le monde où les élèves ont grandi. «Favoriser la réussite», c'est rien qu'un moyen pour nos administrateurs d'augmenter leur financement et de mesurer notre performance. Point barre.

Je n'ai pas signé ce texte, non plus, à cause de passages comme celui-ci: «Seuls les enseignants les plus rigides sur leurs positions se sentent dépassés par la situation et crient à l'échec du système scolaire et à la perte du savoir. Seuls les enseignants qui refusent de repenser leurs stratégies pédagogiques sont ceux qui s'insurgent sur les places publiques.» Quelle grossière généralisation. Mon nom sous ça? Est-ce qu'on peut ne pas vouloir «repenser [des] stratégies pédagogiques» qui fonctionnent et quand même crier «à l'échec du système»? Est-ce qu'on ne peut pas enseigner un programme dont on déplore le manque d'efficacité[26]?

---

26. Note de décembre 2011: Une étudiante a en philo une enseignante que j'ai eue deux fois dans un autre cégep, en 92-94. Cette

Les signataires du contre-manifeste poursuivent en répétant la liste des «oui» des premiers, mais en y ajoutant leur grain de sel. Et ce grain de sel semble mettre la pédagogie au centre de l'enseignement, après les élèves, évidemment. Pour eux, dans le «oui à une véritable pédagogie qui s'incarne dans la connaissance», «ce qui est sous-entendu, c'est que toute pédagogie évacue le contenu». Je crois en effet que la pédagogie a tendance à faire fi du contenu: une pédagogie par compétence, par exemple (qui peut être très à propos dans les cours où il faut maîtriser des procédés et des techniques) est peu adaptée à la réalité de ma discipline, où «apprécier la littérature québécoise» ne saurait être une compétence évaluable – c'est pourtant ce qu'on doit enseigner et évaluer. Je n'ai jamais suivi un cours de pédagogie ni de didactique (mais je suis allé à l'école pendant 17 ans) et je n'en suis pas moins bon prof.

Quant à leur conclusion, où les signataires se disent «fébriles» d'accueillir les étudiants en septembre, je dois aussi m'en dissocier: n'exagérons pas.

---

prof utilise encore la même méthode et l'étudiante était d'accord avec moi: ça marche! Elle utilise sa vieille stratégie pédagogique depuis plus de 20 ans. Faudrait-il qu'elle change sans cesse la structure de son cours, seulement pour avoir le droit de s'insurger?

Messemble que fébrile, au début des vacances, c'est peut-être un peu tiré par les cheveux.

Ou c'est peut-être seulement moi.

Sur le forum du *Devoir*, on trouve quelques commentaires intéressants sur le contre-manifeste :

- On reproche aux auteurs d'être vertueux et de sonner comme une pub de pharmacie avec leurs phrases vides : bonne volonté mais rien de tangible.
- Quelqu'un remarque à juste titre qu'on a toujours dit que les jeunes écrivent moins bien que la génération précédente. La même personne souligne que la dernière réforme de l'éducation a été mise en place en s'inspirant de la Finlande, qui, elle, a mis 10 ans à préparer la sienne, au lieu de le faire à la va-vite comme on l'a fait chez nous.
- On déplore que le système considère l'élève comme un client — imaginez que ce client-là finisse par devenir roi ! Nous ne donnons pas un service à la clientèle. « L'enseignant doit transmettre un savoir utile, avec une compétence irréprochable et exiger que l'étudiant se dépasse pour en bénéficier. Son rôle n'est pas de prendre la responsabilité de la réussite de l'étudiant, c'est de l'évaluer selon le mérite de SES efforts ». Je ne

suis pas là pour baisser mes standards, mais pour donner aux élèves les outils pour les atteindre.

- Un prof retraité reproche aux signataires du contre-manifeste d'être complaisants et désorientés, et surtout de discréditer ceux qui osent manifester leur inquiétude. Ce prof propose même un cours de «Prise en charge 101» pour aider tous les élèves à s'adapter aux études postsecondaires – un collègue m'a déjà parlé d'un cours de «Méthodologie de l'enseignement supérieur». Je suis d'accord: bibliographies, interlignes, en-têtes, fonctionnement d'un traitement de texte et d'un chiffrier, usage d'Antidote, éthique du courriel (effacer les renvois, inscrire un objet, faire des phrases complètes, avec ponctuation, majuscules, paragraphes, signature), il faut bien apprendre ça quelque part!

- Un autre retraité diagnostique ainsi les problèmes de notre système d'éducation: le manque de vision, le manque de rigueur, le manque de volonté à tous les niveaux, du simple prof au ministre, font que notre collectivité va à sa perte, ni plus ni moins. Un autre précise: «Il n'y a pas de manque de vision, il n'y a qu'une vision à court terme, une myopie temporelle, et celle-ci n'est pas scolaire, mais culturelle.»

- Un autre rejoint ce que je disais au début : le contre-manifeste accuse le manifeste d'attaquer les étudiants. Il précise :

> Le manifeste est plutôt une dénonciation de la structure sclérosée et parasitée du système d'éducation québécois. Une dénonciation des péda(dingos)gogueux qui ne sont pas entrés dans une salle de classe depuis des années et qui apportent avec assurance aux décideurs des réponses pleines de sophismes, réponses qui, par la suite, sont imposées du haut vers le bas à travers les innombrables couches décisionnelles du système pour finir sur les épaules des gens de la première ligne, les professeurs, qui se retrouvent en sandwich entre une réalité en classe ultra-changeante à laquelle ils aimeraient consacrer toutes leurs énergies, et la paperasse ministérielle toujours plus présente et de plus en plus déconnectée du terrain.

Je ne saurais mieux dire : il a visé dans le mille !

- Le dernier commentaire (en date du 9 juin) est assez amusant : une lectrice fait remarquer qu'un cégep avait pour slogan, il y a quelques années : « Diplôme garanti ». Et ça, ça n'est pas de la diplomation à rabais ?!

Quelques jours après la parution du contre-manifeste, *Le Devoir* a publié les fonctions des signataires : sur 14, 5 sont enseignants, 5 autres sont conseillers pédagogiques. Ça explique peut-être leur point de vue.

J'en ai assez pour maintenant. Il me reste trois articles que j'aimerais commenter, mais ils ne s'envoleront pas.

Que ce débat est enflammé ! Les gens s'emballent et se sautent à la gorge, comme si on parlait de souveraineté. Les arguments sont tous très généraux et la matière des cours est complètement évacuée. Est-ce que c'est si véhément parce que nous sommes en fin d'année et complètement épuisés ? Ou parce que, vu l'absence de discussions publiques sur l'enseignement collégial, quand ça pète, ça pète au cube ?

J'ai l'impression que les travailleurs de l'éducation subissent depuis des décennies les diverses modes imposées par le haut, sans avoir d'espace de discussion sain pour en débattre, ou simplement pour laisser sortir la vapeur : ils sont exaspérés et se sentent impuissants. Donc, quand la pression devient trop grande, le couvercle saute, comme en ce moment.

J'entends aux nouvelles que Pauline Marois recule sur l'application de la loi 101 au cégep.

Moi, je serais pour des programmes et des cégeps bilingues. Notre conception des cours de langue étrangère date de l'époque des deux solitudes monolithiques et étanchement séparées.

Aujourd'hui, plusieurs jeunes viennent de familles franglaises (un parent franco, un anglo) ou d'origine étrangère. Espagnol à la maison, français à l'école, anglais dans la rue. Ourdou avec les parents, français avec les frères, sœurs et amis, anglais pour la télé. Allemand avec la grand-mère. Italien avec papa, espagnol avec maman. Au point où plusieurs ne savent pas vraiment laquelle est leur langue maternelle, puisqu'ils s'expriment avec un français d'adulte appris à l'école et avec une langue moins développée, plus infantile, quand ils parlent celle de leur famille.

Dans *Jeux de patience,* Abla Farhoud fait dire à ses personnages :

La Mère : (Elle rit.) Si j'arrivais encore à rire, je rirais ! Tu apprends notre langue à travers une traduction des *Mille et une nuits* ! C'est le « fun à mort » comme diraient mes enfants ! Tu vois, ils n'ont pas perdu de temps ; ils reviennent tous les soirs avec des expressions nouvelles... Pendant que moi, je regarde la neige, et que toi, tu lis *Alf Layla wa Layla*, en français, mes enfants emmagasinent une culture étrangère qui deviendra leur culture. Rien

à voir avec moi, ni avec leur père, ni avec leurs grands-
parents. Ils vont tout oublier...

Monique / Kaokab : Les marques de l'enfance sont
indélébiles.

La Mère : Ils vont oublier quand même... Le sang ne
se change pas en eau, disaient les vieux. Il ne se change
pas, non, il se dessèche et meurt. Qu'est-ce qu'il te reste
à part le taboulé ? La mémoire du ventre est tenace, mais
pour le reste[27] ?

Quel beau passage ! Quelles belles images pour
montrer le rapport trouble que vivent nos immigrants face à la culture, ce que nous, Blancs francos
cathos ignorons bien souvent en leur demandant sans
nuance de s'assimiler. Il faudrait que notre système
scolaire permette aux enfants de La Mère de lire *Alf
Layla wa Layla* dans sa langue originale, au lieu de
faire comme leur tante Monique. Moi aussi, j'aimerais
ça lire *Les Mille et une nuits* en langue originale !

L'offre actuelle des cours de langues secondes dans
nos écoles est complètement inadéquate. L'anglais
est important, mais si on veut que ces néo-Québé-
cois préservent le précieux héritage qu'ont apporté
leurs parents, ils doivent avoir accès assez jeunes à

---

27. Abla Farhoud, *Jeux de patience*, Montréal, VLB Éditeur, 1997,
p. 37-38.

des cours qui leur apprendront aussi une «troisième langue» (après le français et l'anglais) de qualité. Les Italo-Québécois devraient bien parler et écrire l'italien, et non un charabia métissé de calabrais, de slang et de joual.

Le Québec doit devenir une société de traducteurs, de passeurs : entre le français et l'anglais, entre l'Europe et l'Amérique, entre les traditions (notamment amérindiennes), la modernité et l'avenir, entre nous et le reste du monde.

Quand j'habitais à Berlin, je suis allé dans le cours d'un ami prof de français donner deux heures d'introduction à la littérature québécoise à des élèves de 17 ans. En français. J'ai fait dans la première heure un panorama historique, dans la seconde, nous avons travaillé un poème de Nelligan – mon ami en a mis d'autres par la suite à l'étude, tant les étudiantes avaient aimé. Je me suis alors pris à imaginer un échange entre ses élèves et des cégépiens parlant allemand : ce serait complètement impossible. Les jeunes Allemands de 17 ans qui ont choisi le français comme langue seconde ou tierce le parlent couramment ; les Québécois du même âge en sont à apprendre les jours de la semaine.

Moi, je dis : troisième langue dès le secondaire. Mais pas nécessairement obligatoire.

(En après-midi, sur le bord du lac de Zurich)

Je commence peu à peu à préparer la lecture dirigée de *Jacques le fataliste* que je compte faire avec
mes élèves de 101. Mon collègue M. m'a réitéré son
conseil de ne pas faire lire ce roman aux élèves de
101 de jour, ça ne prendra pas. Comme j'ai ignoré
son avis quand je l'ai mis dans un cours de soir (ça a
quand même plu à certains), je vais l'ignorer encore
une fois. Si je me plante, tant pis, j'apprendrai à la
dure.

Je compte utiliser une méthode empruntée à ma
prof de *Märchen des deutschen Romantik* (Contes de
la littérature romantique allemande) que j'ai suivi l'an
dernier à Concordia. Elle posait des questions dont
les réponses nous faisaient progresser dans l'œuvre.
Mais je crains qu'en groupe de 35, ce soit plus difficile
de faire parler les élèves qu'en groupes de 15. Peut-
être que je devrais faire des demi-groupes.

Aussi étrange que cela puisse paraître – je n'en
ai d'ailleurs jamais parlé à mes collègues –, c'est la
première fois que je vais faire une étude exhaustive
d'une œuvre entière avec les élèves. Je me concentre
d'habitude sur des extraits et je fais une discussion
sur l'ensemble. Je sais que ça me fait négliger certains
éléments d'analyse (schéma actantiel, structure narrative, découpage du roman, analyse thématique). Mais
on m'a fait comprendre que *tout* dans les cours de la

séquence *doit* mener à l'Épreuve. Alors, comme l'analyse littéraire et l'EUF ne portent que sur des extraits, ou des textes courts, travailler une œuvre en entier serait donc «inutile», dans le sens fonctionnaliste du terme.

L'analyse d'une œuvre en entier permet d'apprendre à observer la structure d'un objet d'étude, ce que les élèves pourraient ensuite appliquer à d'autres phénomènes sociaux ou culturels, notamment dans leur discipline. Elle permet aussi de montrer l'évolution d'un thème dans l'œuvre, pour dévoiler de manière plus nuancée le propos de l'auteur, plus que si on n'analyse qu'un extrait de 500 mots. Mais c'est pas ça qu'on nous demande de leur enseigner. Le très-suprême MELS n'en a rien à cirer des œuvres entières – et je ne suis payé que pour servir le grand-prêtre.

Mardi 14 juin 2011

Hier, c'était férié en Suisse, la Pentecôte. Je n'ai pas continué mon «analyse» des médias – je n'avais pas envie de me casser le coco avec des débats pédagogo-collégiaux. Nous sommes allés manger chez des amis, et j'ai profité de mon chum.

Les nouveaux demi-civilisés[28]

Dans la lignée des articles du début du mois, Ian Murchison, jeune prof de la région montréalaise (il dit être de la génération Y), publie un article dans *Le Devoir*, « Enseignement au collégial – Les nouveaux "demi-civilisés" ». Huit jours après sa publication, l'article fait partie des plus commentés, avec le Manifeste du 3 juin.

En leur enseignant le controversé roman de Jean-Charles Harvey, *Les Demi-civilisés* (1934), monsieur Murchison dit avoir eu de la difficulté à faire apprécier à ses élèves le génie de l'œuvre. Les mises en contexte, l'humour, le cours d'histoire n'auront réussi qu'à mettre le prof dans la situation du héros, Max, et ses étudiants, dans celle des petits-bourgeois de Québec : Murchison traite ses élèves de demi-civilisés, comme Max, ses contemporains.

Le portrait qu'il fait de ses étudiants n'est pas reluisant : ils arrivent au cours gonflés d'assurance, individualistes, irresponsables et arrogants, accrochés à leur iPhone, branchés en continu sur Facebook. Ils

---

28. Ian Murchison, « Enseignement au collégial – Les nouveaux demi-civilisés », *Le Devoir*. [En ligne]. http://www.ledevoir.com/societe/education/324828/enseignement-au-collegial-les-nouveaux-demi-civilises#409834. Consulté le 1er avril 2012.

lui répondent des âneries méprisantes. Et de surcroît, « ils considèrent en experts que le livre est "plate" ».

Lorsque j'ai lu *Les Demi-civilisés* la première fois, à l'université, je dois avouer que j'ai trouvé certains moments « plates ». Même lors de mes lectures suivantes, tout en remarquant ses qualités incendiaires, je lui ai trouvé des longueurs : c'est un excellent roman, mais je ne le qualifierais pas de chef-d'œuvre de l'histoire de notre littérature. Ce qui est bien dans les études littéraires, c'est qu'on n'est pas obligés d'avoir tous la même lecture ou la même opinion d'une œuvre.

Il y a quelque temps, j'ai moi aussi mis *Les Demi-civilisés* à mon programme de littérature québécoise. Comme j'aime procéder par listes de lecture, il n'était pas obligatoire pour tous. Ceux qui ont fait leur oral sur ce roman ont su l'apprécier et lui reconnaître des qualités, même s'ils n'ont pas crié au génie. Déjà pas mal. « Apprécier la littérature québécoise » : *check* (plus ou moins : ils n'ont pas apprécié la littérature québécoise, mais bien *une œuvre* de la littérature québécoise).

N'oublions pas que c'est un roman d'intellectuels. Même en 1934, quand des masses l'ont acheté pour braver l'interdit du cardinal Villeneuve de Québec, je ne crois pas que son lectorat ait été celui des 18-20 ans.

Monsieur Murchison offre-t-il à ses élèves la possibilité de ne pas aimer une œuvre ? Je dis toujours aux miens qu'ils doivent avoir une réaction émotive ou esthétique par rapport à toute œuvre : l'aimer ou la détester est plus productif qu'y être indifférent.

Mais à lire certains passages de sa lettre, je crois que monsieur Murchison a des problèmes plus graves dans sa classe. Je ne connais pas son expérience (moi, j'ai longtemps été moniteur de camp de jour et je sais que ça m'aide), ni son énergie, ni sa scolarité, mais il a un problème de respect. Personne dans mes cours n'oserait répondre « je peux m'acheter du lait au chocolat ? » à une question sur la Révolution tranquille – et si ça arrivait, la réponse serait bête à souhait. (Est-ce que le fait que je les vouvoie y est pour quelque chose ? On peut certes être impoli au « vous » et très poli au « tu », mais peut-être cela crée-t-il une barrière invisible ?)

Je ne crois pas être meilleur que monsieur Murchison, mais ne généralisons pas : ses classes ne peuvent pas représenter toute une génération d'étudiants.

Preuve flagrante de cela, mon expérience de cette session va dans le sens inverse de la sienne. « Ne leur parlez pas de littérature, d'histoire ou de politique, ils bailleront d'épuisement et pesteront contre votre cours », écrit Murchison. Ces carnets sont la preuve que ce n'est pas généralisé : j'ai donné à mon corps défendant un cours centré sur l'Histoire, où les élèves ont remis en question ce qu'ils en pensaient, où eux et moi avons énormément appris, et ce, sans trop nous ennuyer en fin de compte, voire même en nous amusant – autant qu'on puisse s'amuser en parlant de génocide. Les élèves des deux groupes à qui j'ai offert le cours de ma collègue ont convenu que l'Histoire est un sujet d'une importance capitale pour comprendre notre société – et ce n'est pas moi qui le dis, c'est eux. Désolé de vous contredire, monsieur Murchison.

Le second thème important de l'article, c'est le rapport à la technologie. Il fait la juste remarque qu'avec Wikipédia, Google et compagnie, on a un accès tellement facile à l'information que le rapport au savoir s'en trouve bouleversé. Sauf qu'il dit qu'à cause de cela, les élèves ne veulent plus apprendre. Cette question ne devrait-elle pas relever de la philosophie (de l'épistémologie), plutôt que de la *Realpädagogik* (si je peux me permettre) ? Je ne dis pas que ça ne nous touche ni n'affecte quotidiennement notre enseignement, mais cette réflexion se doit d'être plus large en remettant en question le rapport de tout le monde à l'information (aux journaux et aux médias inclus), tout en respectant les principes de la rigueur intellectuelle. C'est bien plus grand que la simple gestion de classe.

Ça me fait penser à François (dans le cours du vendredi après-midi, cette session), qui, ne trouvant vraiment aucune information biographique sur l'auteur dont il devait parler pour son oral (Majid Blal, *Une Femme pour pays*), a dû se rabattre sur les réseaux sociaux. Je ne lui ai pas reproché d'avoir fait des recherches là, puisqu'il a admis d'emblée le manque de sérieux de sa source, avec un ton comique : « Je n'ai vraiment rien trouvé au sujet de Majid Blal, sauf qu'il habite à Sherbrooke. Je sais que ça manque de crédibilité, mais je suis allé voir sur sa page Facebook hier soir, et même là, il n'y avait presque rien : je peux vous dire qu'il aime tel club de football et telle chanteuse algérienne. » Je lui ai reproché le « hier soir », qui nuisait plus à la crédibilité de son propos que le recours à Facebook. Les médias sociaux sont là, on ne peut pas les ignorer !

Monsieur Murchison dit que ses étudiants sont collés à leur téléphone intelligent et qu'il ne peut pas les leur faire éteindre sous peine de les fâcher. Un peu de discipline, ma foi ! C'est vous le maître dans la classe, c'est là notre seule autonomie. Il faut qu'*ils* aient peur de *vous* fâcher, pas l'inverse ! Nous, qui nous souvenons de WordPerfect et de son écran bleu et des téléphones portables attachés à des valises, nous devons leur apprendre à rester maîtres de la technologie.

Mais ma génération est-elle mieux ? Combien de fois, lors de soirées entre amis, on se garroche sur son téléphone dès qu'est soulevé quelque chose qu'on ne sait pas ? Et en voilà deux ou trois happés par leur bébelle, en train de chercher une réponse dont on aurait bien pu se passer.

Mon cher collègue, soyez rigoureux et tenez à vos principes. À ceux de vos élèves qui défendent « leur droit fondamental d'être un consommateur hyper-branché, stupide et endormi », répondez par vos éva-luations et la chute de leur cote R : quand elle sera trop basse pour entrer aux HEC, ils se réveilleront de leur adolescence amorphe. C'est non seulement votre droit, mais votre travail.

Je trouve dommage que monsieur Murchison ait « pitié de ces 3 % d'élèves qui ont tout ce qu'il faut pour faire infiniment rougir ces autres » : la pitié est un triste sentiment qui n'aide personne, surtout pas ceux qu'on se doit de pousser plus loin, même si une majorité traîne derrière. Je trouve que ce 3 % (un élève par groupe) est un chiffre méprisant pour ceux qui font beaucoup d'efforts même s'ils n'ont pas un « talent, [une] motivation et [des] capacités scolaires [...] exceptionnellement élevés ».

Je ne saurais juger ni du cours ni des qualités d'en-seignement de ce jeune collègue, à qui je souhaite – comme à moi – de s'améliorer. J'espère de plus que son portrait est celui d'un cas isolé, pas d'un phéno-mène social. Cela dit, son texte est fort bien tourné et habile.

Malheureusement, je suis d'accord avec sa conclusion. Il écrit qu'avec de tels élèves, « [vous] vous dites que vous ferez bientôt partie du pourcentage de jeunes enseignants qui décident de changer de carrière... » Ses raisons ne sont pas les miennes, et nous voilà malgré tout au même point, à vouloir tout balancer par-dessus bord.

Mercredi 15 juin 2011

Il me reste deux articles à commenter, je crois, avant d'avoir fait le tour de la brève saga médiatique autour des collèges. D'ailleurs, les journaux en ligne n'offrent plus de nouveaux articles ni de témoignages. Plus rien à la radio, rien sur les médias sociaux. Feu de paille ?

Francoeur[29]
Sophie Durocher a publié une entrevue avec Lucien Francoeur le 23 mai, au moins une semaine avant le Manifeste. Comme je ne lis pas le *Journal de Montréal*, je n'en ai rien su. Grosso modo, elle rend

---

29. Sophie Durocher, « Lucien Francoeur se vide le cœur », *Le Journal de Montréal.* [En ligne]. http://www.fr.canoe.ca/divertissement/celebrites/entrevues/2011/05/23/18180746-jdm.html. Consulté le 1er avril 2012.

compte des doléances du prof: selon lui, les étudiants d'il y a 30 ans étaient donc meilleurs que ceux d'aujourd'hui!

Ado, j'écoutais Francoeur à la radio et je savais qu'il avait déjà été chanteur. Ce n'est que plus tard que j'ai appris qu'il enseignait la littérature à Rosemont. Depuis 1981. Il avait déjà 10 ans d'expérience quand, moi, je suis arrivé au collégial. Trente ans d'enseignement. Mes respects.

Dans l'article, je le trouve sévère avec les élèves. Ils sont certainement d'une «autre espèce» que ceux de 1981, mais est-ce si grave de devoir leur enseigner ce que signifie «recto verso»? Quelqu'un a bien dû me l'enseigner, à moi aussi, et ça n'est pas de leur faute si on a jeté le latin avec l'eau du bain dans les années soixante. Peut-être Francoeur a-t-il déjà eu à enseigner ce qu'était un livre et quelle est la différence entre «le nom de l'auteur (Molière) et le titre du livre (*Dom Juan*)», mais ne généralise-t-il pas quand il dit ça d'«un élève qui entre au collégial de nos jours» (effet de style, sans doute), comme si ça s'appliquait à tout le monde? Est-ce que c'est pas méprisant pour les profs de français du secondaire, qui font du mieux qu'ils peuvent?

Un des plus beaux remerciements reçus durant ma jeune expérience, c'est justement pour avoir pris la peine d'enseigner ce qui paraissait évident. J'enseignais à la formation aux entreprises du collège, à deux groupes d'employées d'Hydro-Québec qui devaient suivre deux sessions intensives de cours – dont un cours de français à chaque session, écrit puis oral – pour accéder à une promotion. J'avais deux groupes de 10 élèves, 3 hommes et 17 femmes, la plupart dans la jeune cinquantaine, dont plusieurs avaient été secrétaires ou préposées à la clientèle pendant toute leur carrière, et donc savaient déjà bien écrire.

J'ai commencé mon cours de français écrit comme je le fais toujours, en révisant l'alphabet et la prononciation des lettres – et non, ce n'est pas pour infantiliser les élèves ou imposer ma domination : plusieurs ignorent qu'il y a deux prononciations pour le h ou le x en français, et entendre l'accent grave sur le « à » suffit souvent à le distinguer du verbe avoir. Je le fais de manière détendue et rigolote ; c'est parfait pour un premier cours. À la fin de la session, une élève m'a dit ce qu'elle avait pensé en me voyant arriver devant la classe : « C'est quand même pas un jeunot comme ça qui va m'apprendre grand-chose en français écrit... et dès le premier cours, tu m'en as appris ! » Cette session intensive a été une des plus belles de ma jeune carrière.

Mais ce n'est pas là où je veux en venir. Outre les règles de français que je leur ai expliquées, ou fait réviser, outre les lectures et les compositions, j'ai passé un cours à leur enseigner à utiliser les dictionnaires.

Un dictionnaire, ce n'est qu'un outil, et comme pour n'importe quel outil, il faut le connaître pour bien l'utiliser – et non, ça ne va pas de soi, pas plus que le recto verso ou la distinction entre *Dom Juan* et Molière pour quelqu'un qui ne connaît ni l'un ni l'autre. Je leur ai expliqué les différences entre le *Robert* et le *Multi*, l'alphabet phonétique, la signification des dates, l'étymologie, la nature des mots, l'organisation des entrées, la manière d'utiliser les exemples, les synonymes et les renvois (dans le *Robert*), les icônes et leur signification (dans le *Multi*). Utiliser un dictionnaire, ça s'apprend, et c'est notre travail à nous, profs de français et de littérature, d'enseigner comment ils fonctionnent (ou aux éventuels profs de « Méthodologie des études supérieures ») : il ne suffit pas de vérifier l'orthographe et de fermer le livre. Il faut lire la définition jusqu'au bout! D'ailleurs, je suis même d'avis que ce serait aussi notre tâche de leur enseigner le fonctionnement d'Antidote et du correcteur de Word, mais il n'y a pas de place dans nos cours pour ça.

Tout ce long détour pour dire qu'à la fin de la session, une élève m'a chaleureusement remercié, appuyée par ses collègues autour d'elle, d'avoir pris le temps de leur montrer ce qu'on ne leur avait jamais montré – ni à l'école, ni jamais depuis –, c'est-à-dire à utiliser un dictionnaire. Et ces élèves, monsieur Francoeur, ne sortaient pas tout juste du secondaire, n'étaient pas de la génération iTechno : certaines avaient déjà fait du latin à l'école ! Donc, un élève qui ne sait pas ce que sont le recto et le verso n'a pas à avoir honte, tant qu'il ose le demander ; ce qui serait honteux, ce serait de se complaire dans son ignorance.

(continué le 16 juin)
Cela étant dit, je suis tout à fait d'accord avec monsieur Francoeur par rapport aux critiques qu'il adresse au MELS : le ministère est trop gros, les pédagogues sont déconnectés de la réalité scolaire, les réformes sont mal adaptées et ne font que changer le mal de place. Je suis d'accord et j'ajoute : l'Épreuve n'a plus rien à voir avec la vraie vie !

Et non, une réforme de la terminologie grammaticale n'aidera pas les élèves à mieux écrire – mes collègues qui ont enseigné à la première cohorte issue de la réforme me l'ont confirmé –, en plus de nous éloigner des autres grammaires modernes. Je radote, je sais.

Monsieur Francoeur trouve que dans ses classes, il y a « un tiers assez fort, un tiers qui se débrouille et un tiers qui n'a pas sa place ». Il y avait avant la Révolution tranquille un tiers de gens avec un cours classique, un tiers avec une école de métiers et un tiers avec une cinquième année B, mais ils n'étaient pas tous dans la même salle à écouter un même exposé. C'est bien que plus de gens aient accès à l'éducation, très bien, mais c'est normal que nos groupes ne soient plus constitués exclusivement de fils de médecins d'Outremont. On veut une éducation accessible pour tous ? Alors nos cours doivent donner, à tous, les moyens d'apprendre, de s'élever, de développer leur esprit critique, et pas seulement au tiers le plus fort de monsieur Francoeur ou au 3 % de monsieur Murchison.

J'irais même plus loin : je voudrais plus de programmes ciblés pour aider les élèves en difficultés, mais aussi pour pousser davantage celles et ceux qui ont du talent. Je veux un système qui permette à tout le monde d'aller le plus loin possible, faibles ou forts, et qu'on cesse cette uniformisation à tout prix, si chère aux fonctionnaires de l'éducation !

Vendredi 17 juin 2011

Brouillette

En réponse aux lettres et aux manifestes, Xavier Brouillette, prof de philo au Vieux Montréal, écrit une lettre qui me semble assez juste – le premier texte qui me rejoint dans toute cette saga[30].

---

30. Xavier Brouillette, « À la recherche de l'intelligence perdue », *Le Devoir*. [En ligne]. http://www.ledevoir.com/societe/education/324919/libre-opinion-a-la-recherche-de-l-intelligence-perdue. Consulté le 7 juin 2011.

Il fait d'abord remarquer que les textes qui ont été publiés ne parlent pas tous de la même chose : les uns critiquent la réforme et la pédagogie – ce qu'il ne veut pas aborder –, les autres critiquent les étudiants, en leur reprochant d'être accros à la technologie ou trop individualistes, et de trop travailler en dehors de l'école. « En somme, cette nouvelle espèce ne parle pas la même langue, n'a pas la même culture (en a-t-elle une, d'ailleurs ?), n'a pas les mêmes comportements, ni les mêmes aspirations. Devant tant de nouveauté, on peut comprendre que certains se sentent perdus. »

Monsieur Brouillette remet les pendules à l'heure. Il rappelle que si les élèves arrivaient à l'école avec une bonne culture générale, un esprit critique développé et la volonté d'apprendre par eux-mêmes, nous n'aurions plus rien à leur enseigner. C'est juste.

Au cégep, ils nous arrivent avec les impressions qu'ont laissées 11 autres professeurs depuis le primaire. C'est à nous de faire en sorte qu'à la fin de la session, ils nous remercient avec un « Je pensais jamais que la littérature [ou la philo, ou... ou... ou...], ça pouvait être intéressant ». Il faut leur montrer que Shakespeare et Molière ne sont pas que vieux ; ils sont bons et pertinents.

Brouillette rappelle que les élèves sont le miroir de leur société : on leur vante le succès individuel, l'autonomie, l'indépendance, le rire comme produit culturel suprême, le *multitasking* (surfer en écoutant la télé, en faisant des devoirs, en mangeant). Déjà, je n'aime pas la division par générations, mais en plus, s'acharner à critiquer une génération qui n'a encore que 16 ans, qui n'est pas encore mûre, ça n'a pas de sens : c'est en fait critiquer les vedettes que la génération précédente a érigées en modèles, c'est critiquer l'éducation qu'on lui a donnée, c'est se critiquer soi-même, finalement.

On les a branchés sur la télé trop d'heures par jour, avec une pause publicitaire aux 12 minutes, puis on leur demande de rester concentrés trois ou quatre heures, et de réfléchir à des sujets vieux comme le monde, sans multimédia ni pauses publicitaires. C'est certain que c'est difficile ! Quand ils étaient excités, leurs parents les *ploguaient* devant un écran, puis ils ont demandé au psychologue des pilules pour réprimer ce trop-plein d'énergie, ou pour les faire se concentrer. Maintenant, suite logique, il faudrait que les profs s'adaptent à leur « clientèle », qu'ils deviennent du divertissement multimédia, pour qu'aller à l'école soit un loisir plus qu'un défi. On pourrait devenir des profs Télétubbies, tant qu'à y être !

Mais Brouillette a raison, on ne peut pas le reprocher aux élèves (comme le fait Francoeur) : ils sont encore ce que leurs parents, ce que la société, ce que la télé ont fait d'eux. Nous, nous sommes là pour les faire sortir de cette passivité.

S'emporter ne sert à rien. Il faut fixer nos règles en classe et secouer les élèves : s'ils refusent de s'investir, ou s'ils n'en ont pas les capacités, il faut être conséquent et les faire échouer. (Tout ça, dit par celui qui flanche dès qu'on le regarde avec des yeux de pitou piteux et qui offre cinquante-six mille reprises – je sais : c'est facile à dire, tout ça.) Il faut les faire échouer, même si, à ce moment-là, ils nous détestent et nous insultent. Tenir bon, même s'ils nous souhaitent de nous faire enculer par un casque de Bismarck. Même si ça fait mal.

J'ai fait le tour du sujet plus que je n'en avais envie. Les vagues autour du pavé ont vite fini leurs mini-cercles dans la mare : deux semaines après le Manifeste, rien n'a changé, on a oublié le caillou. Plus personne ne parle d'éducation. Il n'y aura eu que des paroles soufflées au vent.

Maintenant, tous les profs de collèges sont en vacances. Est-ce que le débat va reprendre en septembre ? Pfff. Nos mémoires sont bien trop courtes.

Mardi 21 juin 2011

Ha ! Je suis allé lire mes courriels de l'école : un collègue a écrit que les listes d'élèves pour septembre sont déjà en ligne ! Ça ne me donne rien de les consulter à ce moment-ci, mais je le fais quand même.

Groupe 6238 : 37 élèves, seulement 5 gars
Groupe 6239 : 37 élèves
Groupe 6240 : 37 élèves
Groupe 6241 : 37 élèves

Trente-sept élèves par classe ! Moi qui suis habitué à des groupes de 34 inscrits qui finissent à 27 ! Et si j'avais le malheur que personne n'abandonne ? Panique !

La seule chose que je ne trouve pas en ligne, c'est justement celle que je veux le plus savoir : mon horaire !

Vendredi 1er juillet 2011

(Hi hi, ici, en Suisse, le premier juillet, c'est rien de spécial.)

Cette semaine, j'ai commencé à angoisser pour la session d'automne. Je n'ai pas encore remanié mon plan de cours, je n'ai pas regardé mon cahier de textes, je n'ai pas réécrit à Boréal pour la traduction de Micone de la *Locandiera*, je n'ai pas choisi la ou les pièces qu'on ira voir.

Et cette semaine, D. et moi partons en vacances pour trois semaines : je ne travaillerai pas. Quand on va revenir, la fin de l'été va débouler et, avant que je m'en aperçoive, la session sera commencée !

Jeudi 7 juillet 2011

En pleines vacances, et ça fait deux matins que je fais des mauvais rêves d'école.

Deux heures après mon lever, je ne me souviens plus de celui de ce matin.

Hier, c'était un rêve franchement compliqué. Nous étions trois profs attitrés à un groupe (moi, N. et un vieux prof non identifié – non existant probablement). On arrive à un premier cours, il se donne dans un gymnase et l'écho rend ce qu'on dit incompréhensible. Deuxième hic : c'est un cours de physique qu'on doit donner (un élève : « Mais c'est à un cours d'histoire que je suis inscrit ! ») et on est trois profs de français. Ça nous prend presque tout le cours pour prendre les présences, à N. et à moi – le troisième, le vieux, ne fait rien. On va dans un autre lieu pour je ne sais plus quelle raison, avant de revenir dans le gymnase, où on trouve une espèce de niche avec un plafond plus bas, où les élèves peuvent enfin nous entendre. Juste question de donner un peu de matière au premier cours, j'essaie d'expliquer les protons et les électrons. Les élèves ne comprennent rien. Réveil.

Beurk.

Lundi 18 juillet 2011

En ce moment, nous sommes au Danemark, près de la mer, dans une petite cabane, et il n'y a rien qui me paraisse plus désagréable que l'école – pas même la pluie dehors.

C'est déjà dans un mois. Ça vient vite. Je dois me préparer. J'espère que la rentrée et la présence des élèves me donneront envie d'enseigner.

Mercredi 27 juillet 2011

(De retour à Zurich)

Bon, je m'y mets, je révise le cahier de textes et je regarde le plan de cours. Ça n'arrête pas l'angoisse, mais ça sera ça de fait.

Mon problème avec Boréal n'est pas réglé. L'édition de la traduction qu'a faite Marco Micone de *La Locandiera* de Goldoni est épuisée, et c'est celle que je veux que les élèves lisent : elle est plus vivante que les traductions françaises et les apartés sont en italien, ce qui me plaît. J'ai écrit à la responsable des droits d'auteur au collège, mais elle revient de vacances le 8 août.

⌣

J'ai *chatté* avec le mari de ma mère cette semaine et lui ai raconté ce qui m'angoissait, par rapport au début de session et à mon manque d'envie de me préparer. Pour me rassurer, il m'a écrit : « T'en fais pas, ça va bien aller, t'aimes ça. » En ce moment, il n'y a rien dont je sois moins sûr.

Je suis passé devant un kiosque de loto tout à l'heure, et mon imagination s'est emportée.

⌣

En ce moment, je n'ai même pas de plaisir à relire des œuvres que j'aime pourtant. Après quelques heures de travail sur mon plan de cours, je me retrouve comme en janvier, du côté grognon du monde.

Vendredi 29 juillet 2011

Bon, j'y suis arrivé : ma préparation avance un peu. Au moins, j'y travaille.

Mon problème pour l'instant, c'est qu'il y a trop de matière que je veux couvrir. J'en étais à la première version de mon calendrier quand je me suis aperçu que je n'avais prévu aucun cours pour l'histoire littéraire. Mais j'y tiens! Même si ça n'est pas dans les connaissances à acquérir. (Correction: le MELS ne veut pas que les élèves acquièrent de connaissances dans leurs cours de français. Que des compétences. Et l'histoire littéraire, évidemment, n'est pas une compétence.)

Je recommence mon travail, je comprime tout pour leur parler un peu d'histoire. C'est tout un casse-tête.

Des fois, je souhaiterais être prof de français langue seconde, en intégration: pas de plan de cours compliqué, pas trois matières différentes à enseigner dans le même cours, seulement leur apprendre à parler. Pas de longues dissertations à corriger, pas de compétences transversalement abstraites, pas d'adaptation à ce que mes 11 prédécesseurs ont bien ou mal enseigné: seulement leur apprendre à parler le français.

Vous dites: «Trois matières à enseigner?» Eh oui. Alors que le prof de maths enseigne les maths, juste les maths, que le prof d'histoire enseigne l'histoire, seulement l'histoire, le professeur de littérature, lui, doit non seulement enseigner la littérature, qui devrait être une discipline en soi, mais il faut qu'il enseigne aussi l'argumentation et le français écrit. (Et, accessoirement, il doit trouver le moyen de remonter l'estime d'élèves qui comprennent depuis 11 ans d'école qu'ils sont juste pas bons dans leur langue maternelle.) Comme si la langue française était exclusive à mes cours! Comme si la philosophie, les sciences humaines, les cours techniques n'avaient pas besoin d'une langue française bien articulée, précise, sans trop de fautes! Pourquoi c'est juste aux profs de littérature de corriger et d'enseigner l'accord des participes passés?

Jeudi 4 août 2011

Août est arrivé, il reste moins de trois semaines avant le début des classes. Cette semaine, j'ai donc passé plusieurs heures à préparer mon calendrier, à bouger les activités pédagogiques et les évaluations pour que le travail soit bien réparti dans la session, leurs travaux comme mes corrections.

Hier après-midi, j'ai passé trois heures là-dessus. Pour me changer les idées, j'ai joué une heure ou deux sur la console, avant que D. rentre du travail. Dans la voiture en route pour chez ses grands-parents, j'étais silencieux. «Ça va? Tu dis rien!» Oui, tout allait bien, mais je pensais à l'école. C'est un vrai petit poison : dès qu'on se met à y penser, ça ne nous sort plus de la tête ! C'est ça, aussi, qu'ignorent ceux qui envient nos vacances !

Vendredi 5 août 2011 : Vol Zurich Montréal

Lundi 8 août 2011

Samedi, je suis allé imprimer et déposer mon cahier de textes dans l'espoir qu'il sera prêt à la rentrée.

Dimanche 14 août 2011

Depuis vendredi à 16 heures, les horaires sont disponibles sur Internet. J'ai regardé vers 20 heures : lundi, mardi et mercredi matin, cours à 8 heures, jeudi, à 14 h 20. Mon enfer. Trois matins tôt. D. m'a interdit de faire plus que le strict minimum par rapport à l'école cette semaine, ça me met de mauvaise humeur, ça gâche la fin de nos vacances (il est maintenant à Montréal avec moi). J'ai quand même réussi à passer une belle fin de semaine. J'espère qu'un collègue voudra échanger de groupes ! Sinon, je vais devoir faire avec, comme on dit.

Bonne nouvelle, mon cahier de textes sera prêt et il n'y a pas de problèmes avec les droits d'auteur. Enfin! Il arrive que ça marche!

Quand j'ai écrit en ligne pour me plaindre de mon horaire – «La session n'est pas encore commencée et Simon est déjà pas content» –, un de mes amis m'a répondu que c'est peut-être à ça qu'on voit que je suis rendu un vrai prof de cégep. Aaaargh!

Je déplore d'avoir cette attitude négative face à ma *job*. C'est dommage. J'aimerais ça, être enthousiaste au lieu d'être blasé dès le début de ma carrière.

Mardi 16 août 2011 (Semaine -1)

Quand je ne m'endors pas parce que je pense trop, j'ai l'habitude de me retourner dans mon lit (de gauche à droite, de droite à gauche, puis, dans les cas extrêmes, les pieds à la tête du lit) pour m'arrêter de penser. Mais hier soir, tourner et retourner n'a pas aidé. Pas moyen d'arrêter la machine à cogiter.

Et ce matin, bien que mon cadran était réglé à 9 heures, pour ma réunion de 11 heures, je me suis réveillé à 7 h 30 en pensant à l'école. Pas moyen de me rendormir.

Hier, c'était mon dernier lundi et aujourd'hui mon dernier mardi à me lever à des heures normales. Dès la semaine prochaine, ma sentence commence.

Après-midi

Ma réunion de ce matin a été agréable, chacun a présenté son corpus et ses principales activités pédagogiques. On a parlé de nos œuvres et des pièces de théâtre à l'affiche, on a blagué, l'ambiance était relaxe. J'ai appris l'existence d'un spectacle qu'on peut intégrer à nos cours, *Le Ménétrier*, où le comédien musicien raconte la vie d'un troubadour de la Renaissance et joue des instruments de l'époque.

J'ai présenté ma session. Le fil conducteur de mon cours est la liberté : les élèves liront deux pièces de théâtre de la liste de lecture que je propose, une attribuée au hasard, l'autre au choix ; nous ferons ensuite une lecture dirigée de *Jacques le fataliste*. J'ai aussi présenté mes doutes : ça fonctionne, une liste de lecture ? Ça marche, de laisser les élèves choisir l'œuvre qu'ils veulent lire ? Ça ne sera pas trop mélangeant, que tout le monde ne lise pas le même texte et qu'on parle de six pièces en même temps ? D'autre part, est-ce que c'est une bonne idée d'attribuer des points pour une lecture à voix haute qu'ils devront faire ? Est-ce que mon cours se tient ?

M.-O. me dit qu'elle trouve mon cours intéressant et qu'elle viendrait le suivre ; d'autres me confirment que mon idée de liste pourrait bien marcher. J'emprunte d'une collègue l'idée d'une rédaction boni pour rendre compte d'une lecture supplémentaire, que les élèves pourront faire à leur gré. La rencontre a été super constructive !

Personne n'a pu ou voulu changer de groupes avec moi. Pas grave, je vais me lever à 6 heures pour les 15 prochaines semaines. C'est tout.

Trois des quatre documents dont j'ai besoin lundi sont déjà à la repro, je finis mon plan de cours ce soir. Je serai prêt.

Mon été s'achève brusquement : demain, des amis de Berlin arrivent en visite pour 10 jours et lundi prochain, le jour de mon premier cours, D. s'en retourne à Zurich jusqu'aux Fêtes. Je compte profiter de lui au maximum avant la longue séparation.

Lundi 22 août 2011 (Semaine 1)

10 h 15

Première rentrée de jour, premier cours, première rédaction.

Mon groupe du lundi est surtout composé de filles (cinq gars seulement). Les élèves ont été assez réceptives à la présentation du cours et des ennuyeux règlements du département. Après la pause, je leur ai assigné les devoirs et les lectures pour la semaine prochaine, puis leur ai lu un extrait de Rabelais (chapitre 25 de *Gargantua*: «Comment un moine de Seuillé sauva l'enclos de l'Abbaye du saccage des ennemis»).

Elles n'ont pas ri beaucoup, sauf quand je m'arrêtais pour expliquer les blagues. Alors là, elles souriaient. Pourtant, c'est un texte très drôle. Les élèves de soir à qui j'ai lu ce texte par les sessions passées riaient davantage. On ne peut pas nier que la maturité nous permet de mieux comprendre et apprécier une œuvre, mais je croyais qu'un moine qui charcute 13 000 brigands tout seul, avec seulement un bâton de croix, c'était un humour qui pourrait les rejoindre – surtout les descriptions crues et graphiques qu'en fait Rabelais. Ça serait peut-être différent dans un groupe de gars.

Les élèves sont en train de rédiger le texte diagnostique. À la première séance de leur premier cours de français, à mon collège, les élèves rédigent un texte d'environ 200 mots, que nous devons corriger subito presto, et qui nous sert à déterminer s'il y a des élèves dont le français est trop faible pour suivre et réussir le cours. Les élèves trop faibles sont reclassés en français correctif pour leur épargner une session d'échec et leur faire perdre leur temps, et davantage de confiance en eux.

Si le principe du texte diagnostique est bon, l'application est inefficace : nous devons commencer la session sur une correction d'urgence qui n'est pas très agréable – on doit corriger ces textes en une semaine pour que les élèves qui doivent être reclassés le soient dès le second cours. Ensuite, nous devons gérer les changements de groupes, et expliquer (réexpliquer) tout ce qui a été vu à la première semaine. C'est pas optimal.

Il faudrait absolument que le texte diagnostique soit fait *avant* la rentrée, comme les tests de classement pour les cours de langues secondes. On m'a dit que ça serait trop d'organisation. Vraiment ? Quand il s'agit d'augmenter la pression sur les profs pour la réussite, pas d'troub', mais quand cette pression concerne l'organisation, là, non !

Toujours est-il que je suis curieux de voir ce que les étudiantes répondront à ma question : « Pourquoi le texte est-il comique ? » Elles rédigent, et moi, je n'ai encore rien à corriger. J'écris.

Je viens de croiser un collègue, celui dont j'ai fait la connaissance à la bière de la fin de session dernière, et qui se dissocie de quelques pratiques du département. Il m'a expliqué en trois mots la raison pour laquelle il s'oppose au texte diagnostique : « Je suis ici pour corriger ce que j'enseigne, et non ce que les autres ont enseigné [ou pas, ai-je ajouté]. » Son argument est juste.

Est-ce que les élèves n'ont pas rédigé un texte d'opinion à la fin de leur secondaire 5 ? Est-ce que leur passage au collégial ne devrait pas témoigner de leur maîtrise du français écrit ? Mais noooon ! Même si leurs profs les ont évalués et classés, même s'il y a une épreuve ministérielle pour évaluer leur français de secondaire 5, il faut que nous recommencions. Faut dire qu'il n'y a pour ainsi dire aucun lien ni aucune continuité entre les programmes du secondaire et du collégial[31] – ni de communication entre les profs.

Une nouveauté pour nous aider : à la dernière assemblée départementale où j'étais, on a annoncé que nous aurions cette année accès à certaines notes du secondaire pour diriger notre correction des textes diagnostiques. Nous pourrons corriger les plus faibles

31. Note de 2012 : En secondaire 5, les élèves apprennent à écrire un texte d'opinion, sans aucun contenu littéraire, qui met tout l'accent sur leur subjectivité (« selon moi, je pense que mon opinion... » – du Richard Martineau, quoi). En 101, dans leur premier cours de français au collégial, ils doivent rédiger une analyse littéraire objective, sans aucun usage de la première personne, dans laquelle ils doivent commencer à maîtriser l'analyse stylistique d'un texte. Sacré MELS. Il ne pourrait pas y avoir une progression, une apparition plus graduelle de l'analyse et de l'objectivité dans un texte ? Ça ne serait pas plus efficace si le programme du cégep était en continuité avec celui du secondaire ? Est-ce qu'en secondaire 5, ils ne sont pas assez vieux pour commencer la littérature et pour sortir de leur petite opinion, de leur petit nombril ?

tout de suite pour les transférer rapidement en mise à niveau si nécessaire. Mais je ne m'en sortirai pas : 150 copies à corriger pour la semaine prochaine.

Mais pas cet après-midi. Aujourd'hui, c'est la fin officielle de mon été. Je perds mon amoureux. Fin de presque trois mois passés ensemble, début de quatre mois de séparation. Je vais profiter de lui pour quelques heures et je corrigerai demain.

Mardi 23 août 2011 (Semaine 1)

16 h

Le deuxième premier cours a bien été.

Mais après, j'ai fait la gaffe d'aller à la Grande Bibliothèque. Je suis ressorti avec deux films, deux BD, quatre livres. J'avais amplement de quoi lire, alors que sous peu, je n'aurai plus de temps pour des lectures extra scolaires. Compulsif, peut-être ? Mon chum part et je vais me chercher trop de livres : je compense.

Depuis quelques semaines, je suis plongé dans des comédies du dramaturge suisse Friedrich Dürrenmatt, et j'adore. J'étais curieux, j'ai donc emprunté une édition de sa correspondance avec Max Frisch, une traduction française de *Der Besuch der alten Dame* (*La Visite de la vielle dame*), puis un petit manuel des littératures francophones de Suisse et de Belgique (faute d'avoir trouvé une histoire des littératures suisses, ce que je cherchais)[32].

Comme si j'étais en train de magasiner d'autres carrières : traducteur de théâtre, chercheur en littérature, prof d'université. Comme si je fuyais mon ouvrage réel en me projetant partout où ma curiosité me mène.

Je me reconnais bien là : le Simon qui veut tout faire, qui veut tout voir, tout visiter, tout photographier, tout lire, celui qui veut être urbaniste, premier ministre et cinéaste, romancier, traducteur et photographe, celui-là aussi qui veut la chance de lire et de réfléchir – et d'être payé pour le faire. Ça va me mener au doctorat, ou à la folie. (Tout ça pour dire, finalement, que l'envie de tout foutre en l'air est encore là.)

Si seulement on pouvait incorporer un peu de recherche à notre tâche d'enseignement...

Dans un bulletin que le syndicat a envoyé en mai dernier, j'ai lu hier que la commission Parent avait voulu l'enseignement collégial plus près de l'enseignement universitaire que du secondaire. Il me semble que pour ça, il faudrait aussi que les profs puissent

---

32. Note de 2012 : Je n'ai finalement lu que le quart de la correspondance et n'ai fait que feuilleter *La Visite de la vieille dame*. J'ai toutefois très bien lu le manuel et me suis fait deux très longues listes de lecture – c'était super intéressant.

continuer à se former – et là, je n'entends pas en prenant des ateliers et des cours de pédagogie ou de didactique, mais en continuant à approfondir leur champ d'expertise. En ce moment, les recherches que nous pouvons faire ne sont ni pour notre développement personnel, ni pour l'avancement de nos disciplines, mais plutôt pour la valeur pédagogique de la chose. On ne nous veut pas savants, on nous veut enseignants et obéissants.

Mercredi 24 août 2011 (Semaine 1)

Oups! Je prends à chaque jour plus de temps pour présenter le plan de cours!

Et si peu de gars. Est-ce qu'on est un cégep de filles? Étrange.

Jeudi 1er septembre 2011 (Semaine 2)

Deux semaines de finies! La seconde a bien été, comme la première. Je suis content.

Je me suis demandé pourquoi j'étais si désœuvré les après-midis: j'ai fini mes cours à 11 h 40, j'ai utilisé l'heure de disponibilité pour corriger, si bien que j'avais l'après-midi complètement libre... au point de ne pas savoir quoi en faire.

J'ai réalisé que c'est la première fois que j'ai une session à temps plein avec une seule préparation. Quand mon cours est prêt, je le donne quatre fois ; je ne passe pas mon temps à me préparer, comme je l'ai toujours fait.

Dans un autre ordre d'idées, la session des élèves en formation continue a commencé ce lundi. Comme je finis tôt en début de semaine, ce n'est que ce soir que j'ai croisé mes anciens.

Tout d'abord, Ghada (je l'ai eue en 101, puis à la session dernière en 104) m'avait demandé si je restais au cégep après mon cours parce qu'elle voulait me voir. Elle a passé son été au Liban, d'où elle a immigré il y a plus de 20 ans, donc « chez elle ». Or, suite aux questions sur l'identité que nous avons travaillées la session dernière, elle a admis que chez elle, c'est aussi là où ses enfants vivent, c'est-à-dire ici. Sa fille de 20 ans a aimé voir la famille à Téhéran cet été, mais elle a eu le mal du pays, de Montréal. Ghada a donc pensé au cours, à moi.

C'est génial : les questions du cours dépassent le cadre de la session !

Ghada m'a rapporté en cadeau une superbe édition de *The Prophet* de Khalil Gibran (je ne connais pas du tout[33]) et une boîte de succulents baklavas. Ça rend content.

En partant du collège, je vois d'autres anciens élèves, qui me saluent. Leurs sourires sont gratifiants.

Dehors, il y a Rodeley, un de mes anciens étudiants, plus vieux que moi, gay, avec qui je m'entends bien et avec qui j'ai quelques fois trinqué. On parle, on rigole, arrive Steve, c'est sympathique et on veut tous aller prendre une bière. Des amitiés seraient-elles en train de naître?

Dernière chose pour l'entrée d'aujourd'hui: l'idée de faire un doctorat me trotte de plus en plus dans la tête. J'aurais envie de prendre un sujet, de l'approfondir, de le fouiller. Mais si je fais un doc, je ne ferai pas de cinéma, j'écrirai moins, ou plus du tout.

Je suis allé lire la description du programme de littérature générale et comparée de l'université de Zurich. C'est intéressant, tentant.

Huit heures et demie du soir, pas envie de faire à souper, ni quoi que ce soit d'autre.

La semaine m'a passé sur le corps, je suis mort.

---

33. Note de 2012: Maintenant, je connais. Et j'ai adoré. Gibran est un immigré libanais qui a écrit sa suite poétique à New York en 1923. Ma coloc de bureau me dit que tout le monde avait lu et connaissait *Le Prophète* dans les années 70-80. L'édition que Ghada m'a offerte comporte de beaux dessins originaux par l'auteur.

Mardi 6 septembre 2011 (Semaine 3)

Malgré la petite déprime et le fait que je m'ennuie de mon amoureux, ça va.

Mon cours pour aujourd'hui était plutôt prêt, mais j'ai décidé hier (fête du Travail), en le révisant, d'aller un peu plus en profondeur. J'ai finalement passé l'essentiel de la journée à préparer une nouvelle présentation diapo, où je montre ce que l'analyse des types de phrases (déclarative, interrogative, exclamative, etc.) révèle comme information sur l'intention de l'auteur. Par exemple, dans l'extrait de *La Locandiera* que j'ai choisi (tiré de la scène 4 de l'acte I), les phrases exclamatives et interrogatives du chevalier de Ripafratta accentuent son dédain des femmes. Les tournures négatives qu'utilise le marquis ont pour effet de montrer que Mirandoline est extraordinaire, qu'aucune femme ne se compare à elle, alors que celles utilisées par le chevalier (notamment avec deux verbes au futur simple de l'indicatif) montrent sa certitude d'être protégé du charme des femmes[34].

---

34. Note de 2012 : Cet atelier me causera des maux de tête à la fin de la session. Comme j'ai passé plus de temps sur les phrases et moins sur les figures de style, certains élèves ont complètement oublié ces dernières et se sont limités, pour l'analyse finale, à la forme des phrases : « Jacques utilise une phrase affirmative pour affirmer son opinion. » Ça manquait vraiment de profondeur.

Ma présentation en classe a bien été, mes diapos semblaient claires. Sauf que j'ai pris pas mal de temps, si bien que les élèves n'ont pas pu finir le TP. On verra si demain, j'arriverai à comprimer un peu mon blabla.

Je viens d'ouvrir le *Manifeste pour une école compétente*[35], que j'ai acheté (compulsivement) il y a une ou deux semaines. Il faut bien que je me tienne au courant des points de vue divers sur la pédagogie si je veux moi-même exprimer des propos qui ont une certaine valeur. Mais finalement, je m'aperçois dès les premières pages que ça m'intéresse peu (pas l'enseignement, les discours sur l'enseignement), et que j'aimerais mieux jouer aux cartes sur Internet. Alors je le lirai *ti-boutte* par *ti-boutte*, et je commenterai selon mes envies et mes (sautes d') humeurs[36].

Je viens de lire la première section, «Pourquoi un manifeste? Pourquoi des réformes?», et ses trois chapitres.

Les auteurs disent s'adresser à tout le monde, mais je doute que le parent moyen qui se plaint du bulletin

---

35. Collectif, *Manifeste pour une école compétente*, Québec, Presses de l'Université du Québec, 2011, 152 p.

36. Note de 2012: Je ne suis pas allé plus loin que les *ti-bouttes*. Le livre a longtemps traîné dans une pile sur mon bureau. Je l'ai ressorti; je vais peut-être le lire davantage si je le laisse aux toilettes.

unifié sache ce qu'est le constructivisme, auquel ils se réfèrent. C'est un texte d'universitaires pour les universitaires avec des formulations que je trouve empesées et qui sonnent creux. (Si je fais un doc, mon style deviendra-t-il aussi académique ?)

Ils ont évidemment de bonnes intentions. À plusieurs moments, en lisant, je n'ai pas pu réprimer un : « Mais, on est tous pour la vertu ! »

De la réforme, ils disent : « Plus particulièrement au cours des cinq dernières années, la législation a apporté tellement de modifications à la réforme [...] qu'elle s'en trouve dénaturée et qu'on la fait s'engager dans une direction opposée à la finalité première : prendre le virage du succès pour tous les élèves[37]. » Je vous épargne l'énumération des modifications et je passe sur la lourdeur de la phrase. Mais je reviens au succès de tous les élèves : je souhaite évidemment à tous de réussir leur bonheur et leur vie, mais obtenir un diplôme n'est pas un droit.

« Nous désirons relancer la discussion pour aider le Québec à demeurer dans le peloton de tête dans les épreuves internationales et pour faire en sorte que l'éducation au Québec soit toujours regardée pour son souci de l'innovation[38]. » Plus que pour la qualité

---

37. *Op. cit.*, p. 2-3.
38. *Ibid.*, p. 3.

de ses diplômes? Est-ce si important d'être dans le peloton de tête? Est-ce une course? Est-ce vraiment un progrès d'évaluer des écoles à partir d'autres écoles, qui ont des réalités différentes? Faut-il vraiment que nos écoles soient en compétition avec celles de l'Inde et de l'Angleterre? Et même entre elles? Est-ce qu'on ne pourrait pas vouloir, plutôt, une école qui défende qui on est, qui forme des citoyens responsables et critiques? Ils veulent que notre éducation soit «regardée pour son souci de l'innovation». Innovation comme dans «toujours essayer des nouvelles affaires en espérant qu'on ait un éclair de génie qui nous rapporte un brevet»? On peut pas changer les méthodes pédagogiques à tous les deux, trois ans, juste pour rester dans le peloton de tête de ceux qui innovent. C'est pas ça, l'éducation. L'éducation, c'est aussi la mémoire.

L'éducation, c'est le rapport d'un peuple aux événements qui l'ont fondé, aux œuvres qui l'ont raconté, aux théories dont il s'est construit, aux sciences, aux techniques, aux métiers qu'il s'est appropriés – après tout, on ne peut enseigner que ce qui existe déjà, donc ce qui appartient au passé. C'est en enseignant l'histoire de nos relations avec les Amérindiens et en apprenant leurs cultures qu'on va réussir à construire notre pays avec eux, pas en se concentrant sur le commerce triangulaire. Innover juste pour innover, en jetant sans discernement ce qui a pris du temps à se développer, juste pour recevoir un os, une médaille ou un bon classement, c'est perdre de vue l'essentiel.

Nos pédagogues poursuivent : « La réforme actuelle est le fruit d'une évolution sociétale frappée du sceau de la mondialisation. Elle s'inspire des avancées de la recherche tant en psychologie, en sociologie, en technologie qu'en sciences de l'éducation ou en didactique[39]. » Quoi ? Déjà qu'il y a un s aux scienceS de l'éducation, il faut en plus qu'elles n'incluent pas la didactique ? Je ne comprends plus rien.

Je n'ai pas envie de recopier les définitions de *didactique*, de *pédagogie*, d'*enseignement* et d'*éducation*, que je viens de chercher dans le *Robert*, mais ces termes sont très, très, très, très près les uns des autres. Et sous *éducation*, à « sciences de l'éducation », on renvoie à *pédagogie*. C'est de l'enflure intellectuelle, tout ça.

Est-ce que ce n'est pas un symptôme de l'enflure formaliste que je reproche sans cesse au MELS ? La réforme s'inspire des avancées de la recherche en psycho, en socio, en techno et en pédagogo – faites par des chercheurs dont on ne sait pas depuis combien de temps ils n'ont pas mis les pieds en classe ni s'ils sont eux-mêmes bons pédagogues –, mais les

---

39. *Ibid.*, p. 12.

recherches en littérature, en maths, en histoire ? Où est rendue la matière ? Évacuée. Et le rôle des parents ? Sorti de l'école. La motivation des élèves pour qu'un cours soit bon ? Accessoire.

Et la mondialisation ? Est-ce que nos universités sont meilleures depuis qu'elles perdent des milliers de dollars en publicité pour attirer les étudiants étrangers ? Gagneront-elles autre chose que de l'argent à cette traite des étudiants et des diplômes ? Nos sociétés y ont-elles gagné depuis que les entreprises sont devenues mondialement mobiles ? Et qui gagne au fameux palmarès des écoles secondaires, celui qui traite le rendement des élèves comme une cote en bourse ? On n'est pas obligés de laisser nos universités et notre système d'éducation suivre chacun des aléas de la mondialisation. Parfois, faut résister aussi.

J'arrête mes rouspétages – je m'exaspère moi-même ; je suis mieux d'aller éplucher des patates pour le souper.

Lundi 12 septembre 2011 (Cours 3)

13 h
Je n'ai encore rien écrit au sujet de l'assemblée départementale de mercredi dernier et de la bière qui a suivi.

La réunion a été longue, plus d'une heure et demie. Nous étions au moins 35 profs, dont trois nouveaux. Le moins qu'on puisse dire, c'est qu'une assemblée de profs de français, c'est dissipé. Comme m'a dit une collègue en sortant de l'assemblée : « On fait ce qu'on ne tolérerait jamais de nos élèves. » On parle pendant les présentations, on passe des commentaires à demi-mot, on lance des blagues pour faire rigoler le groupe. Quand on est assis à côté des bonnes personnes, une assemblée départementale peut même être divertissante !

Il y avait beaucoup de choses à l'ordre du jour. La coordination a présenté ses mandats et objectifs pour l'année scolaire en cours et les statistiques sur l'inscription : il y a 6900 inscrits au collège cette session – un record ! Il va manquer de locaux.

Le conseiller pédagogique en technologies de l'information est venu répondre à nos questions au sujet de la nouvelle plateforme informatique qui vient d'être installée. Ce n'était pas une séance de formation, seulement une séance de questions et réponses – qui a dégénéré. Plusieurs d'entre nous maîtrisent déjà bien cette plateforme, puisque nous l'utilisons depuis le début de la session ; d'autres ont pu demander comment faire ceci ou cela. C'était bien. Mais une de nos collègues, rébarbative, posait des questions très générales et agressives ; elle restait campée sur sa position de personne qui n'aime pas la nouvelle plateforme – et peut-être les ordinateurs tout court. Le conseiller pédagogique essayait de lui expliquer comment faire ce qu'elle voulait faire, mais elle refusait obstinément de comprendre, et pendant ce temps, le reste de l'assemblée placotait ou roulait les yeux. Y'a de quoi avoir honte : nous avons franchement manqué de respect au conseiller des TI.

D'après l'ordre du jour de cette réunion, nous devions constituer les divers comités de travail pour l'année. J'étais convaincu que nous allions encore devoir justifier au MELS ou au collège 173 heures de travail hors des salles de classe par session. En effet, notre convention collective stipule que nous sommes payés pour 32,5 heures de travail par semaine pendant 10 mois, réparties entre nos heures de cours et d'activités pédagogiques (pour nous, en français, entre 12 et 16 heures de cours par semaine) et 173 heures par session consacrées à d'autres activités : disponibilité au bureau pour les élèves, participation à divers comités et correction d'examens (étrangement, celle des dissertations en français n'est pas incluse). Je me suis dit que je devais bien, pour souligner mon passage à la formation régulière, m'inscrire à plusieurs comités. J'ai opté pour le comité de révision des plans de cours (on doit s'assurer à chaque session que tous les plans de cours du département sont conformes aux normes) et le comité d'animation pédagogique – celui-ci était moribond, personne de l'an dernier n'a voulu revenir et personne d'autre que moi ne voulait s'y inscrire. Visiblement, la pédagogie nous intéresse peu – mais je crois que c'est là que je pourrai transformer mon chialage en action. Par crainte de me retrouver seul, j'ai envoyé un « Enweye donc » à P., assise à côté de moi, qui a rejoint le comité pour une session, jusqu'à sa sabbatique en janvier. J'ai tout plein d'idées.

C'est en sortant de la réunion que j'ai appris que les 173 heures avaient été abolies dans la dernière convention collective[40], et que je n'avais donc pas besoin de m'inscrire à ces deux comités. Pas grave.

La rencontre pour une bière a été très agréable : j'ai fait connaissance avec deux des nouveaux ; j'ai pu parler de littérature, de littérature et encore de littérature avec des gens qui aiment ça ; on a parlé des vacances d'été et un peu de pédagogie. J'ai eu l'occasion de discuter longuement avec une collègue que je

---

40. Note de 2012 : Après la réunion, j'avais compris à une remarque d'un coordo qu'elles étaient abolies. Mais je constate que la convention collective inclut encore ces 173 heures de travail par session que les profs doivent justifier, hors de leurs cours. Probablement que le coordo voulait dire que notre collège ne demandait pas de justificatif précis de ces heures, ou ne le demandait plus. Dans d'autres collèges, des profs sont tenus en laisse plus serrée et doivent rendre des comptes.

ne connaissais que de vue. Vers 9 heures, nous n'étions plus que six ou sept, personne n'avait mangé, il fallait cesser de boire : nous sommes rentrés. Ça a été fort agréable.

19 h

J'étais curieux de voir quel salaire j'aurais, maintenant que j'ai trois années d'expérience complétées. Je suis au cinquième échelon et quand le certificat que j'ai terminé cet été sera reconnu, je passerai au septième. Ça devrait me faire passer de 43 000 à 46 800 $ par an. J'ai gagné 35 000 $ l'an dernier. Concrètement, ça ne change pas grand-chose à mon chèque. Mais on verra si je parviens à l'économiser, ce petit extra.

Dimanche 25 septembre 2011

Comité d'évaluation des plans de cours. Si je comprends bien, nous sommes la police interne du département pour les plans de cours ; on vérifie si les exigences du collège et du ministère sont appliquées.

Évidemment, certaines règles sont insignifiantes.

Bien qu'il trône dans l'entrée du collège une tour qui mesure l'objectif environnemental de réduction du papier, chaque plan de cours doit tout de même contenir une page en-tête (généralement presque vide et inutile), l'ensemble des règles départementales et la description complète de la séquence des cours de français, ce qui prend bien trois, quatre pages, par élève, à chaque session. Au lieu des règlements, certains profs indiquent : « Voir plateforme virtuelle & lecture en classe ». Moi, j'ai fait une feuille à part, en format légal et écrit en tout petit, mais plusieurs s'en foutent et donnent simplement 15 pages de plan de cours, recto seulement, à chacun de leurs 150 élèves.

Autre règle suprême et niaiseuse : sur la page couverture du plan de cours (moi, j'en fais même pas, je me contente d'un en-tête détaillé), il doit y avoir le code et l'énoncé de la compétence (quelque chose qui ressemble à 4F03B), que les élèves ne comprennent même pas, afin de bien montrer que nos cours ne sont qu'un code insignifiant, unique et réducteur.

De plus, ce dont je m'aperçois, c'est que rendus au cinquième cours de la session – à ce moment-ci, par exemple –, les élèves ont complètement oublié le plan de cours, au point qu'ils sont dépourvus quand ils cherchent notre numéro de bureau (écrit dans le plan de cours, sur LÉA[41], dans le bottin en ligne du personnel et sur le babillard départemental de français).

---

41. Plateforme informatique pour communiquer avec les élèves, compiler leurs absences et nos notes, entre autres.

Enfin, je veux seulement ajouter que je me sens mal à l'aise d'évaluer la «Qualité de la présentation» et la «Clarté et [la] facilité de consultation du plan de cours» de mes collègues : c'est assez relatif. Qui je suis pour dire aux autres que leur présentation est de mauvaise qualité? Ils reçoivent tous la mention «bon»[42].

Ma session va toujours bien. J'ai une bonne relation avec mes groupes et je crois bien avoir accroché des «ga-gars» / joueurs de football, qui semblent apprécier le cours.

---

42. Note de 2012 : Même si nous avons ce mécanisme de vérification des plans de cours, j'apprends qu'une conseillère pédagogique responsable du département de français (dont j'entends parler pour la première fois depuis huit ans que j'enseigne ici) en fait aussi l'évaluation. Je viens de recevoir son analyse de mon plan de cours d'hiver 2012 : il me manquait le code dans l'en-tête (il était plus bas sur la même page) et j'ai changé un ou deux verbes à la formulation des objectifs du cours, par rapport au plan-cadre. Elle m'invite à la rencontrer pour que nous discutions des diverses lacunes (elle joint une grille d'analyse). Je suis insulté et révolté qu'on nous fasse travailler pour rien : l'administration veut juste faire de nous les serviles exécutants de leurs visées formalistes et bureaucrates.

Comme d'hab', j'ai des cours extrêmement chargés et je crois que je donne trop de devoirs : c'est quelque chose sur quoi je dois travailler pour la prochaine fois. Jusqu'à présent, ils n'ont pas eu assez de temps pour les deux travaux pratiques et plusieurs ont dû les terminer à la maison. Je dois ajuster ça pour la suite.

Mais je suis à jour dans mes préparations comme dans mes corrections, ça me donne du temps pour écrire, et l'inspiration est même au rendez-vous. Donc, pas mal !

Mercredi 28 septembre 2011 (Semaine 6)

7 h 30

J'aime lire par-dessus l'épaule des gens dans les transports en commun, je l'ai déjà dit. Ce matin, dans le livre d'un jeune homme, je ne vois qu'une phrase, avec le nom « Tomas », sans h. Je pense à Kundera. L'élève descend du bus au cégep, au même arrêt que moi. J'apperçois la couverture : c'est *L'Insoutenable Légèreté de l'être* qu'il lit. Bravo Lanctôt !

Cette semaine, c'est le cours d'exposés oraux : chaque équipe présente son œuvre (*La Tempête* ou *Hamlet* de Shakespeare, *Le Cid* de Corneille, *Andromaque* de Racine, *Dom Juan* de Molière ou *Le Mariage de Figaro* de Beaumarchais).

Hier, il y avait deux absents, qui n'avaient avisé ni leurs partenaires ni moi. Ce matin, des courriels de leur part. Lui m'explique son absence sans se justifier. OK. Elle : « J'étais malade. Si vous voulez, demandez à ma mère. Il arrive quoi, maintenant ? » Il arrive quoi maintenant ? Euh... rien ! Je dis toujours au premier cours : « Si vous devez vous absenter à une évaluation, vous m'avisez dès que vous le savez, et vous apportez une justification – on pourra s'arranger. » Mais un courriel le lendemain et un mot de maman, ça vaut rien. Je trouve dommage de priver ces élèves de 10 % de leur note finale, mais est-ce qu'il faut pour autant que je me tape du travail supplémentaire ? Est-ce que si moi, je suis absent, les élèves viendront un soir de semaine ou pendant la semaine de relance pour reprendre le cours ? Et dans une *job* normale, ça se fait, d'appeler le soir pour dire qu'on a été absent toute la journée ? Depuis que j'ai lu son courriel, je raisonne tout seul et j'essaie de me justifier ma propre décision : je sais que j'ai raison, mais j'ai trop d'empathie.

Je suis tenté de leur dire que si, en fin de session, il leur manque ces 10 % pour réussir, ils auront droit à une reprise[43].

Je veux noter des choses au sujet des oraux, mais je le ferai plus tard, mon cours commence dans cinq minutes.

En après-midi

Je suis content. Voilà deux cours d'exposés terminés et j'ai entendu 12 fois à peu près le même commentaire en conclusion, consacrée à l'appréciation de la pièce. Tous ont dit avoir eu de la difficulté à lire et à comprendre leur texte au début (à cause des vers, du nombre de personnages ou de la complexité de l'intrigue), mais après le premier acte, ou après avoir suivi mon conseil de lire à voix haute (surtout les pièces en vers), ils ont fini par comprendre, par apprécier et même, dans plusieurs cas, par aimer leur pièce. Au point où leurs recommandations semblaient sincères.

Évidemment, certains élèves n'ont pas aimé, dans le groupe de ce matin, qui *Dom Juan*, qui *Andromaque*,

---

43. Note de décembre 2011 : C'est en retravaillant ces carnets que je vois qu'au printemps précédent, je m'étais juré de ne plus offrir cela aux élèves. Mais visiblement, ça ne me rentre pas dans la tête. Finalement, ce projet de carnets aura peut-être du bon : à force de lire mes commentaires, peut-être apprendrai-je enfin, au lieu de répéter toujours les mêmes erreurs.

mais dans les deux cas, ils ont été capables d'en apprécier la valeur.

À la suite des exposés de cette semaine, les élèves devront choisir une seconde pièce de la liste et la lire. J'aime proposer une liste de lecture : ils peuvent choisir comme seconde œuvre un texte qui les intrigue, qui les interpelle, dont ils ont déjà entendu parler ; cette liberté les implique dans leur éducation. Je m'attendais à ce que les étudiants optent surtout pour les pièces les plus faciles, les comédies (dans le groupe d'hier, par exemple, ils ont surtout choisi *Dom Juan*). Or, il semble que l'oral soit plus déterminant que je ne l'aurais cru, puisque dans le groupe d'aujourd'hui, c'est *Hamlet* qui sera la plus lue comme seconde pièce. J'ai hâte de voir pour les groupes de demain et de lundi.

Jeudi 29 septembre 2011 (Semaine 6)

19 h
Je finis ma semaine sur un *high* semblable à une bulle de fin de session.

D'abord, on s'est bien amusés dans le cours de cet après-midi. Les élèves ont pris leurs oraux à cœur : ils ne se sont pas contentés de lire les scènes qu'ils ont choisies, ils les ont jouées, avec costumes et mise en scène. L'équipe qui présentait *La Tempête* nous a joué l'ouverture de la pièce, la scène de la tempête, dans une grande cohue rigolote ; un étudiant de l'équipe qui présentait *Andromaque*, enveloppé dans sa toge, s'est promené en cercle au centre de la classe (j'avais fait mettre les bureaux en rond), comme une espèce de Platon aux cheveux longs et avec des perçages, pour nous raconter la guerre de Troie. On a rigolé, parlé entre chaque oral, c'était un cours très agréable.

Je suis content : plusieurs élèves sont accrochés à mon cours. Ils sont embarqués, ils ont confiance en moi, je peux les mener où je veux. Un joueur de l'équipe de foot a dit qu'il n'a pas aimé *Andromaque* parce que c'était trop des histoires d'amour, mais qu'il a su apprécier l'écriture : « Ça vaut la peine d'être lu. » Wow ! Je suis épaté.

Une étudiante a rapporté que son père est surpris de la voir plongée dans un livre ; elle nous a dit qu'au travail, elle ne parvient pas à poser *Le Cid* et qu'elle raconte chaque péripétie à sa collègue ! C'est ça que je voudrais enseigner : le plaisir de la lecture !

Même que, tout juste avant que le cours commence, une étudiante, après m'avoir posé une question, m'a raconté qu'au départ, elle était fâchée de devoir reprendre son cours de français, échoué il y a six ans. À l'époque, Shakespeare l'avait ennuyée, mais aujourd'hui, elle apprécie vraiment *Hamlet* et en comprend la portée. «J'ai même hâte au jeudi pour mon cours de français!» Je suis sur une bulle, je *trippe*!

Dans le groupe du jeudi, pour la seconde œuvre, c'est presque *ex aequo*: autant d'élèves se proposent de lire *Hamlet* que *La Tempête* ou *Le Mariage de Figaro*.

Lundi 3 octobre 2011 (Cours 6)

Matin
C'est de plus en plus noir, le matin.

Cette fin de semaine, j'ai eu des activités sociales et j'ai commencé à taper ces carnets à l'ordi; j'ai oublié de corriger les TP pour le groupe d'aujourd'hui. Comme la moitié du groupe ne l'avait pas encore remis, j'ai mon excuse, je vais les corriger dès demain.

Il est intéressant de voir ce que j'ai écrit l'an dernier. Je vois bien que mon angoisse et ma colère se nourrissaient l'une de l'autre, mais les remarques que je faisais sur les élèves de jour qu'il faut secouer pour qu'ils participent, c'est encore vrai. Heureusement, cette fois-ci comme à la session dernière, un coup qu'ils sont secoués et qu'ils me font confiance, c'est bon. J'espère que ça durera jusqu'à la fin de la session, mais je pense que oui.

En tout cas, on verra ce qu'il en sera au retour de la relance, dans deux semaines.

Midi

Ce matin, les oraux ont été ennuyants comme la pluie – quel contraste avec le cours de jeudi. Est-ce à cause de la plage horaire, ou du hasard de la constitution du groupe ? Je ne saurais le dire. C'est le groupe où il y a le plus d'élèves qui ont dit ne pas avoir aimé leur pièce.

Je compile leur choix pour leur seconde lecture. Même si l'exposé sur *Le Mariage de Figaro* était le meilleur, c'est *Dom Juan* qui est la pièce la plus choisie. Ce qui est maintenant clair, c'est que si l'exposé sur les pièces plus difficiles (*Andromaque*, *Le Cid*) est faible, personne ne se propose de les lire.

Dans l'ensemble des groupes, c'est *Dom Juan* que les élèves ont le plus choisi comme seconde lecture, peut-être parce que le personnage est connu, et probablement parce que la pièce est assez facile à lire. La prochaine fois, je devrais choisir un Molière en vers pour que mes six pièces aient un même niveau de difficulté.

Mardi 4 octobre 2011 (Semaine 7)

Dans le bulletin fort intéressant que nous envoient les conseillers pédagogiques, il y a un lien vers un article sur la génération C – les adolescents et les jeunes adultes d'aujourd'hui. Je déteste royalement les catégorisations par générations, trop catégoriques justement, mais je clique quand même pour voir c'est quoi.

« Adapter l'école aux jeunes de la génération C », publié le 11 juin par Guy Ferland, prof de philosophie à Lionel-Groulx[44].

L'auteur dit que la conception du XIXe de l'enseignement et le béhaviorisme (l'enseignement qui fonctionne avec le bâton et la carotte, la punition et la récompense, le cours magistral, l'examen de connaissances et la menace de l'échec en guise de bâton) sont à des années-lumière de la génération C, connectés, créatifs, collaboratifs. Leurs profs doivent donc changer leur façon d'enseigner. Tout le monde répète toujours la même chose : les profs doivent s'adapter, la craie, c'est pas bon, pis il ne faut surtout pas souffrir pour apprendre.

Selon Guy Ferland, il faudrait enseigner « par le jeu, l'interaction et le partage » plutôt que par la douleur. Certes, mais je persiste à croire que s'il n'y a pas au moins un inconfort qui nous pousse à nous

---

44. Guy Ferland, « Adapter l'école aux jeunes de la génération C », *La Presse*. [En ligne]. http://www.cyberpresse.ca/opinions/201106/16/01-4409903-adapter-lecole-aux-jeunes-de-la-generation-c.php. Consulté le 4 octobre 2011.

surpasser et à changer, il n'y a pas vraiment d'apprentissage. Et cet inconfort dont je parle n'est pas l'opposé d'un apprentissage agréable, voire ludique. Dans mes cours, on s'amuse, on rit souvent, on niaise même, mais les élèves travaillent dur.

Ferland veut «troquer l'école du tableau noir contre une école ouverte, interactive, stimulante, enrichissante et ludique». Pourquoi tout le monde s'acharne-t-il à opposer le tableau à une approche pédagogique nouvelle? Comme si on ne pouvait pas donner un enseignement interactif avec un tableau et une craie! Pas besoin de tableaux électroniques (des bébelles!) vendus par les amis du Parti libéral pour interagir avec nos élèves! C'est quoi, cette vision simpliste du tableau?!

Et honnêtement, vous seriez surpris d'apprendre combien d'élèves me confient à chaque session ne pas être très bons avec les ordis et ne pas tant aimer les cours où tout est informatisé.

«Qu'on se pose encore la question de savoir si c'est à l'école de s'adapter à la réalité des jeunes d'aujourd'hui ou si ce sont plutôt les élèves qui doivent s'adapter à une école d'hier, relève d'une aberration.» Je suis d'accord, une aberration, mais pas dans le sens où il l'entend. Pour lui, il va de soi que les profs doivent s'adapter. Je ne le crois pas.

D'abord, une institution est une structure dont le but est de se reproduire telle quelle, donc elle ne veut pas s'adapter. Ensuite pourquoi est-ce que ça ne serait qu'aux profs de changer ? C'est aux profs *et* aux élèves de s'adapter l'un à l'autre, comme dans un rapport dialectique. Et pas l'ensemble des profs avec l'ensemble des élèves, mais chaque prof et chaque élève dans la mesure du possible. L'élève doit connaître l'ancienne école, et le prof, contribuer à former la nouvelle, en tenant compte des besoins changeants des élèves. (À la place, au Québec, c'est pas le prof qui forme la nouvelle école, c'est des fonctionnaires déconnectés.)

Est-ce qu'il ne peut pas y avoir une pluralité de méthodes, chacun y allant selon son vécu, son cours, ses valeurs, et ce qui marche pour lui ? Qui suis-je pour dire à des collègues comment enseigner ? Alors pourquoi tout le monde s'acharne à le faire, sur toutes les tribunes possibles ?

En fin de compte, je trouve l'article plutôt vide de contenu, il ne m'apprend rien sur les jeunes en question et ne pousse pas vraiment ma réflexion plus loin. Il est inutile.

Mercredi 5 octobre 2011 (Semaine 7)

10 h

Devant moi, mon deuxième groupe planche sur la première analyse littéraire. Sur mon bureau, la pile d'analyses du groupe d'hier. Je viens d'en corriger six ou sept et je prends une pause.

Je réalise que j'ai oublié de répéter que le but de l'analyse littéraire est d'expliquer par la forme le contenu du texte. D'après ce que je constate, plusieurs ont complètement oublié la forme, si bien que j'ai dû rappeler le but de l'analyse au groupe de ce matin avant qu'ils ne commencent.

Les notes ne sont pas si basses, mais il y a encore beaucoup à améliorer – ça va, c'est pour ça qu'on est là.

Je regarde le calendrier de la session et je suis troublé : les huit cours qui restent sont déjà si chargés !

Mon doute fondamental demeure : je ne suis pas certain de leur faire faire la bonne chose. Je sais que je les fais bien travailler, je sais qu'ils apprennent, mais suis-je sur la même longueur d'onde que mes collègues ? Est-ce que je remplis bien mes sacro-saints devoirs ministériels ?

J'ai proposé à P., la collègue qui m'a rejoint au comité d'animation pédagogique, une activité qui me trotte dans la tête depuis longtemps, c'est-à-dire de nous faire rédiger – à ceux d'entre nous qui le voudraient et qui seraient prêts à se remettre en question – une analyse littéraire, tous sur le même sujet, aux fins de comparaison. Qu'est-ce qu'une analyse littéraire selon telle prof, selon tel autre ? Comment nous en tirons-nous, nous, les profs, pour rédiger 700 mots à la main en 3 h 40 ? Variante : on pourrait aussi nous donner à corriger deux ou trois dissertations identiques, pour ensuite comparer nos critères de correction et en discuter.

Mais ma collègue a raison : personne ne voudra se prêter à mon jeu, car ils n'y auraient rien à gagner et trop d'orgueil à perdre.

14 h

Mon cours finit à 11 h 40, je suis en disponibilité jusqu'à 13 heures. Comme j'allais partir, Y., un élève du groupe de ce matin, plus vieux que les autres, arrive à mon bureau.

Il était absent la semaine dernière lors de l'exposé oral, et ce matin encore, lors de la première analyse. Son capital de sympathie s'en allait vers le bas.

Il m'explique d'abord ses problèmes avec Immigration Canada, qui, à cause d'un dossier prétendument remis en retard, a interrompu sa procédure de résidence permanente, qui doit maintenant être recommencée. « On dirait qu'ils font leur possible pour me donner le goût de repartir. » Pour avoir déjà été perdu dans des dédales administratifs comme étranger et pour avoir entendu d'autres histoires d'horreur avec l'Immigration, je comprends son stress et je compatis.

En abordant la situation plus précise du cours, il en vient à m'expliquer son parcours en général.

Architecte en Algérie, il a fait un détour par la France, où on a reconnu son diplôme, avant d'arriver au Québec. Voulant aller chercher les connaissances qui lui manquent pour travailler ici (par exemple, travail avec le bois, particularités dues au climat), il est allé à l'école d'architecture de l'Université de Montréal, où un orienteur lui a dit que la solution idéale pour lui était d'aller faire « vite, vite » un petit DEC en technique d'architecture.

Non, mais quelle connerie! Envoyer un architecte dans une technique au cégep! Trois *fucking* années! Non, mais faut-tu...! Encore un exemple de l'incompétence crasse des orienteurs[45]!

---

45. Note de 2012: Mon expérience avec un orienteur? J'ai eu mon premier emploi à 14 ans, chez W. H. Perron, un pépiniériste. Ça m'intéressait, j'aimais ça. Lors d'une journée d'orientation en secondaire 4, je suis allé demander à l'orienteur invité ce que je devrais étudier pour devenir architecte paysager. « Ben voyons donc! Y a pas de travail là-dedans, tu vas juste aménager des terrains en banlieue et travailler la moitié de l'année!» Quel ignorant connard! Il m'a fait peur, j'ai continué à vendre des fleurs sans plus envisager cette carrière; je n'ai pas pensé chercher le son d'autres cloches (!), je me suis laissé impressionner. Aujourd'hui, après avoir voyagé, vu d'autres villes et leurs aménagements, sachant à quel point ça me fascine encore, je crois que je serais devenu architecte paysager, puis urbaniste... et je ne serais probablement pas en train de vous emmerder (ou de vous divertir?) avec mes plaintes de prof.

Y. s'est donc inscrit au cégep (et a payé les 8 000 $ par session exigés aux étudiants étrangers). Ses professeurs de technique se sont évidemment aperçus de son expérience et la directrice du programme lui a crédité plusieurs cours. Mais en regardant ses papiers, l'API et le coordonnateur de français en sont venus à la conclusion qu'il n'avait pas fait assez de littérature pour qu'on lui crédite les cours de français. Dans les systèmes français et algérien, pour réussir le baccalauréat, il faut avoir une moyenne de 10 sur 20 dans l'*ensemble* des matières et non dans chaque discipline. Y., lui, a réussi ses examens de français au lycée avec 8, mais il a quand même eu son bachot, puisque sa moyenne était au-dessus de 10. À mon collège, on ne crédite trois des cours de français (tous sauf le 103, où nous voyons la littérature québécoise et la préparation à la crisse d'EUF) qu'à ceux qui ont réussi leur bachot à 12 sur 20, parce qu'ici, la réussite est fixée à 60 %. Comme si on revenait sur la décision du ministère de l'Éducation algérien et sur les critères de correction des profs de là-bas. Quel manque de respect pour nos collègues algériens ! Quel chauvinisme !

Voilà donc comment Y. s'est retrouvé dans mon 101.

Je ne sais pas s'il écrit bien et s'il maîtrise assez les concepts littéraires pour que je parvienne à lui faire créditer mon cours, mais une chose est certaine dans mon esprit : cet homme n'a rien à faire au cégep !

J'ai regardé avec lui le site de l'Ordre des architectes du Québec, et dans le processus de reconnaissance des diplômes, il y est inscrit qu'il existe un stage pour se familiariser avec le Code du bâtiment et avec les façons de faire locales. C'est exactement de ça dont il a besoin, c'est ça qu'il dit vouloir faire, pas une technique ! Crisse d'orienteur !

Ça n'est pas surprenant que tant de nos immigrants qualifiés retournent chez eux après quelques années dans notre système. L'hiver, comparé à l'incompétence ambiante, ce n'est rien !

Je trouve ça enrageant ! Certains Québécois ne cessent de se plaindre que nos immigrants ne s'intègrent pas, mais on fait tout pour leur compliquer la vie ! Alors qu'on manque de médecins, nos immigrants docteurs conduisent des taxis ! Il y a peu de femmes ingénieures, mais Carmen va devenir éducatrice à l'enfance ! Et voilà qu'on renvoie un architecte diplômé sur les bancs d'école !

J'ai dit à Y. d'aller à l'Ordre et de me tenir au courant. Mais dans la mesure où on ne peut entamer rapidement le processus de reconnaissance de son diplôme, il devra terminer sa session, et reprendre quand même l'analyse manquée ce matin.

Il y a des claques qui se perdent.

Dimanche 9 octobre 2011

Une étudiante m'a écrit hier pour me remercier d'imposer un exercice de création. En faisant son premier jet, elle s'est surprise à beaucoup aimer ça et elle a déjà rempli huit pages!

Lundi 10 octobre 2011 (Action de grâces)

Après 10 analyses littéraires corrigées depuis ce matin, j'en viens à ne plus savoir ce que je veux, ni ce qui est bon.

Je trouve qu'il est normal que la première analyse de la session soit assez faible; j'explique aux élèves que c'est à partir de celle-là qu'ils pourront s'améliorer jusqu'à bien maîtriser cette « compétence ».

Mais plus je lis de dissertations, plus je suis confus. Et plus je corrige, moins ma grille de correction me paraît bonne. Lors des premières copies, elle me semblait adéquate, mais plus j'avance, plus je trouve que le libellé de mes critères est inexact et peu efficace, et que la répartition des points pourrait être meilleure. Par exemple, des 50 points attribués pour le contenu du texte, j'en donne 8 pour l'intro, 8 pour la conclusion, 4 pour le résumé et 15 pour chacun des deux paragraphes de développement: est-ce adéquat et bien proportionné? Je ne le sais pas. Est-ce que je devrais subdiviser les 15 points du développement en sous critères pour évaluer plus précisément leur argumentation, avec trois notes sur 5, par exemple, au lieu d'une note globale sur 15? Malgré tout, ma grille est quand même moins pire que celle que je m'étais faite l'automne dernier et qui donnait des notes plus que correctes à des copies poches.

Après 10 dissertations, je n'ai plus envie de corriger. Il est 16 heures, je pourrais encore faire les cinq ou six qui manquent pour terminer ce groupe, tout en profitant de la journée chaude dans ma cour, mais j'ai la tête qui bourdonne. J'arrête.

Jeudi 13 octobre 2011 (Semaine de relance)

Journée de réflexion sur le plan stratégique du collège.

Nous avons reçu il y a quelques semaines une invitation à participer à cette journée de consultation, où nos échanges permettront à la direction d'établir le plan d'orientation du collège, c'est-à-dire les priorités pour les cinq prochaines années.

Je suis bien content d'y avoir assisté : je me dis que je n'ai pas le droit de me plaindre si je ne mets pas l'épaule à la roue quand on m'y convie. Outre les trois coordos et un représentant du syndicat, j'étais le seul prof de français présent.

D'abord, je suis super content d'avoir rencontré des gens de partout au collège : professionnels, employés de soutien, gens de la direction. La directrice générale était même dans un de mes sous-groupes de ce matin et je suis heureux de voir qu'elle partage mes soucis au sujet de la qualité de la formation continue (de soir). Je ne suis pas le seul à critiquer la formule actuelle. Elle m'a expliqué que les enveloppes budgétaires du jour et du soir sont complètement séparées, et c'est pour ça que le collège ne peut pas permettre à beaucoup d'étudiants de jour de s'inscrire à un cours de soir, par exemple, ni augmenter l'offre de cours en formation continue à sa guise ; c'est tout encadré par le MELS.

La structure générale de la journée était bien et a permis de faire ressortir toute une série de soucis, de réflexions, et de voir émerger un mouvement de fond par rapport à nos préoccupations. Les remarques que nous avons faites dans l'activité du matin ont été regroupées en une douzaine de thèmes, pour qu'en après-midi, en nous promenant de station en station, donc de thème en thème, nous puissions participer à des échanges plus précis et exprimer notre vision pour le collège. Il y avait une station sur l'aménagement du collège, une sur les nouvelles technologies, sur les activités parascolaires, sur la formation continue, etc. Personnellement, j'ai exprimé mon désir que les formations de jour et de soir soient moins cloisonnées, que les élèves en formation continue aient plus de services, que le collège fasse plus pour intégrer les nouveaux professeurs et pour développer leur sentiment d'appartenance.

Même si le plan stratégique doit encore être rédigé et si nous ne savons pas ce qui arrivera de ce qui a été dit aujourd'hui, c'est très bien de se sentir écouté, d'avoir l'impression que sa voix porte.

Justement, c'est la première fois que je me sens un peu fier d'enseigner dans ce collège, la première fois que j'ai l'impression d'appartenir à une collectivité, au lieu d'être une âme errante et solitaire dans les couloirs de soir. J'ai justement dit, lorsque j'étais à la même table que la DG, que j'aime mon travail, mais que je suis incapable de me projeter ici dans 20 ans, que je considère régulièrement décrocher. La DG semblait très intéressée par mon point de vue ; elle m'a écouté avec empathie et attention et elle a admis que le décrochage des jeunes profs est un problème réel. Mon intervention ne changera rien à la structure du réseau collégial, mais de sentir que la DG a été interpellée parce que je disais, ça fait du bien[46]. (J'ai

_____

46. Note de 2012 : Quand j'ai raconté ça à des collègues, elles m'ont confirmé que notre DG est une femme avec beaucoup d'écoute... c'est une ancienne prof de travail social. Malheureusement, on lui reproche son manque de *leadership*.

quand même la bougeotte et trop de doutes, mais ça, c'est mon problème à moi.)

Dimanche 16 octobre 2011

Ce matin, j'apprends à l'émission *Dimanche maga-zine*[47], dans un reportage d'Akli Aït Abdallah, que la Coalition pour l'histoire, dont est membre la Fondation Lionel-Groulx, a publié au début du mois une étude sur la formation des profs, «L'Histoire nationale négligée».

Dans le communiqué de presse du 3 octobre[48], on lit que les enseignants qui donneront les cours Histoire et éducation à la citoyenneté en secondaire 3 et 4 n'auront eu qu'entre deux et sept cours d'histoire du Québec dans leur formation (selon leur univer-sité) : «Les programmes de baccalauréat en enseigne-ment secondaire instaurés en 1994, axés davantage sur la pédagogie et la didactique, contreviennent à l'esprit du rapport Parent.»

47. Akli Aït Abdallah, «Enseigner l'histoire au Québec», Radio-Canada, 16 octobre 2011, 15 min. 17. [En ligne]. http://www.radio-canada.ca/emissions/dimanche_magazine/2011-2012/archives.asp?date=2011-10-16.

48. «L'Histoire nationale négligée», dans *Fondation Lionel-Groulx*. [En ligne]. http://www.fondationlionelgroulx.org/L-histoire-nationale-negligee-L.html. Consulté le 16 octobre 2011.

L'auteur signale : « L'offre de cours des départements d'histoire québécois néglige les grands événements de notre histoire nationale. Par exemple, nos départements francophones ne disposent d'aucun spécialiste de la guerre de la Conquête, des Rébellions de 1837 ou de l'histoire constitutionnelle du Québec [...]. »

La Coalition pour l'histoire recommande « que le programme de formation pour le futur enseignant du secondaire soit sérieusement rehaussé au niveau disciplinaire » et qu'on revienne à l'ancienne formule de formation des profs, c'est-à-dire au certificat en pédagogie, pendant ou après le baccalauréat en histoire.

Ça serait une bonne chose... Après deux ans d'Études françaises à l'UdeM, j'ai considéré passer en Enseignement du français au secondaire. On m'a dit que ce bac me prendrait quatre ans, même si j'avais beaucoup de cours crédités, à cause des stages et des cours de pédagogie, de didactique et d'autres sciences qui n'en sont pas. J'étais stupéfait du peu de littérature qui se retrouve dans la formation d'un prof de français au secondaire. Pour enseigner au secondaire chez nous, Einstein devrait retourner faire quatre ans d'université pour apprendre de la pédagogo ! Je suis donc resté en Études françaises.

De plus, à *Dimanche magazine*, on fait remarquer que les jeunes finissants des universités sont des candidats parfaits pour les directions d'écoles : ils sont plus malléables, ils peuvent plus facilement remplacer dans d'autres matières que celle qu'ils ont étudiée... Donc, on se retrouve avec des profs qui doivent enseigner une matière qu'ils ne maîtrisent pas toujours. Pas génial, pour accrocher les élèves. En plus de ça, un prof d'histoire raconte que s'il suivait le programme à la lettre, en secondaire 4, il ne parlerait même pas de la crise d'Octobre. Les directions d'école se conforment au MELS : la pédagogie est plus importante que la matière, la forme que le fond – et à voir le taux de décrochage qui ne change pas, je ne crois pas qu'on puisse parler de succès !

Sur le même sujet, l'historien Marc Simard (prof à FX-Garneau) publie aujourd'hui une lettre d'opinion sur le site web de *La Presse*. Il est d'accord avec la Fondation quant au manque de formation disciplinaire des futurs profs, sauf qu'il lui reproche d'avoir le jupon nationaliste qui dépasse. Il accuse le rapport de suivre une conception essentiellement politique de l'histoire, positiviste, qui n'a plus cours depuis l'entre-deux-guerres, et qualifie ce rapport à notre histoire «dite *nationale*» de «*mythistoire*»[49].

---

49. Marc Simard, «La *mythistoire* nationaliste : une vision réductionniste», *La Presse*. [En ligne]. http://www.cyberpresse.ca/debats/opinions/201110/14/01-4457362-la-mythistoire-nationaliste-une-vision-reductionniste.php. Consulté le 5 mars 2012.

Est-ce que l'Histoire n'est pas toujours un peu condamnée à être la fille de la mythologie ? Est-ce qu'on ne reprochera pas toujours aux cours d'histoire leur parti pris ?

Je crois qu'il faudrait imposer un peu plus d'histoire politique aux futurs profs, ne serait-ce que parce que c'est un des seuls cours où les jeunes feront leur éducation politique. Mais surtout, je suis convaincu que dans la formation des profs du secondaire, il faut plus de discipline et moins de didactique. Et pas juste en histoire, évidemment.

Lundi 17 octobre 2011 (Cours 7 – Retour de relance)

La semaine de relance vient trop tôt. Placée après la semaine 7, elle sépare la session en deux, mais en laissant la plus longue partie, la plus chargée, pour la fin. Beurk. Ce matin, j'ai commencé le cours en demandant aux élèves s'ils en avaient profité pour se mettre à jour. Non : ils en ont profité pour ne rien faire.

Il faudrait que la semaine soit un peu plus tard – à un moment où eux comme nous croulons sous le travail. Ou au contraire, que ce congé soit assez long pour qu'on puisse prendre quelques jours de vraies vacances et faire rouler le tourisme.

Une de mes collègues m'a déjà dit qu'elle trouvait qu'au retour du congé, c'était comme si les élèves avaient oublié tout ce qui s'était fait avant. Mon groupe du lundi rédige aujourd'hui l'analyse que les autres ont faite il y a deux semaines, j'ai hâte de voir si les notes seront plus basses.

Voici un autre témoignage pour remettre en question la pertinence de cette semaine de relance. J'ai reçu samedi un courriel d'un étudiant, qui était absent à son analyse littéraire du mercredi précédant la relance, 10 jours avant son message, à cause d'une urgence médicale pour laquelle il a un mot du médecin. Il me demande une reprise. Or, les reprises, je les ai faites jeudi dernier, pendant le congé – qui existe pour ça! « Ah, je ne savais pas que c'était pour ça. » Je le soupçonne d'avoir retardé le moment de m'écrire pour ne pas gâcher ses « vacances ». Il devait venir commencer l'analyse dans le groupe de ce matin, en arrivant à 10 h 30, après son cours d'espagnol. Mais il est déjà 11 heures et il n'est pas là. Il va avoir zéro et va falloir que je tienne mon bout : il y a tout de même des limites !

Mardi 18 octobre 2011 (Semaine 8)

Midi

Grrrr. Mauvais cours.

Je ne suis pas content de moi.

Je me sens dépassé par toute la matière qu'il me reste à voir et par tout ce qu'il y a à faire.

Ce matin.

D'abord, travail pratique sur les créations littéraires (racontez à votre partenaire l'intrigue de votre texte, puis échangez vos commentaires) et deux questions sur la pièce de théâtre qu'ils sont allés voir. Ça a pris une heure et demie au lieu de l'heure que j'avais prévue.

Ensuite, j'avais prévu 1 h 40 pour présenter le Moyen Âge et la Renaissance. Je n'ai évidemment pas pu finir.

Enfin, dans la dernière heure, je devais remettre l'analyse littéraire corrigée, leur donner mes commentaires et leur laisser le reste du temps pour commencer à la taper, en réajustant le tir, en précisant le propos, en corrigeant la langue – le tout à remettre la semaine prochaine. J'étais tellement stressé parce que le cours n'allait pas comme je voulais, que j'ai présenté mes commentaires trop vite – j'en ai donc oublié – et les élèves ont à peine eu le temps de commencer à taper. Je sors donc du cours frustré et je me sens tout à l'envers, parce que j'ai l'impression de les surcharger de travail, parce qu'il y a trop de matière que je veux couvrir, ce qui m'oppresse, mais surtout parce que j'ai le *feeling* que les élèves n'ont ni compris le travail pratique, ni mon cours théorique, ni les remarques sur l'analyse corrigée. Donc, mon cours était surchargé pour rien, complètement inefficace. Comme si j'avais tout *butché*. Je n'aime pas sortir d'un cours essoufflé comme ça.

Qui trop embrasse mal étreint, dit-on. C'est exactement ce que j'ai fait ce matin : pour avoir voulu couvrir trop de matière, j'ai tout fait tout croche. Ça fait que je doute de tout : est-ce que je suis vraiment le bon gars pour la *job* ? Je suis déçu de moi-même. Beurk.

Après-midi

Perle dénichée dans une analyse littéraire que je suis en train de corriger : *Le Cid* est « un texte en verres ».

Je devrais profiter du jeu de mots pour dire que ça me saoule ! Mais je trouve ça plus drôle que grave[50].

---

50. Note de 2012 : Mais... c'est *Le Cidre* de Ding et Dong qui est en verres !

Mercredi 19 octobre 2011 (Semaine 8)

7 h 40

Hier, même un bon dîner avec des amis n'a pas suffi pour m'enlever le malaise que je ressentais par rapport à mon cours et au fait que je trouve ma session trop chargée.

D., au téléphone, a essayé de me proposer des trucs pour alléger ma correction ou pour dédommager les élèves que je fais travailler comme des défoncés. Il me demande si je ne pourrais pas, par exemple, donner quelques points bonis pour compenser la lourde charge. C'est pas ça, mon problème : mon problème, c'est la matière que je veux couvrir. « Tu ne peux rien enlever ? » La seule chose qui pourrait partir, c'est l'histoire littéraire, parce qu'elle n'est pas dans les foutus objectifs du foutu plan-cadre du foutu ministère. Mais je ne veux pas l'enlever, parce que je trouve ça important ! Persister à enseigner l'histoire littéraire, malgré mes cours trop chargés, malgré les programmes, malgré mon patron, c'est un petit acte de résistance humaniste, donc, j'y tiens. (Surtout que, dans le 101, j'ai souvent eu comme commentaire que les cours d'histoire étaient ceux que certains élèves préféraient.)

Finalement, ça n'est que la méditation du soir qui a réussi à me calmer.

Voyons si, ce matin, je parviendrai à mieux gérer mon temps et à donner aux élèves les remarques qu'hier, j'ai oubliées.

11 h 50

Le cours d'aujourd'hui a mieux été que celui d'hier. Le travail pratique a quand même pris près d'une heure et demie. En histoire littéraire, je n'ai présenté que le Moyen Âge, au lieu d'essayer de voir deux périodes historiques. J'ai donc pu mieux en parler, et de manière moins précipitée. Quant à mes commentaires sur l'analyse littéraire, je les ai faits dans le local informatique. Comme je n'avais pas de marqueur pour le tableau blanc, j'ai dû tout faire à l'oral, mais j'ai pu parler à une vitesse normale. Enfin, les élèves ont eu un peu de temps pour commencer à taper leur analyse. Je sors donc de classe quand même plus ou moins satisfait, mais moins frustré qu'hier.

Je finis le cours moins stressé, moins déçu. Je mange des restants en vitesse – froids, parce que je suis trop paresseux pour aller faire chauffer mon lunch, et seul, parce que je suis trop sauvage pour le manger en compagnie – et je file chez ma psychologue. Je reviendrai ensuite au collège pour l'assemblée départementale. Si elle finit après 17 h 30, je vais manquer D., qui sera déjà au lit. :-(

15 h

Voir la psy m'a fait du bien. J'avais toutefois l'impression, quand je lui racontais certaines choses déjà notées ici (mes idées folles sur un système d'éducation idéal), que je radotais. Elle m'a rassuré : de son point de vue, je ne radote pas. Il y a au moins ça.

De retour au collège, je passe au syndicat. Je veux vérifier quelque chose dont on m'a parlé. J'avais souvenir que certains cours que j'avais donnés à la formation aux entreprises n'avaient pas été comptés dans mon expérience, parce qu'ils n'étaient pas crédités ou quelque chose du genre. De plus, jeudi dernier, quand j'ai discuté avec des conseillères pédagogiques de la formation aux entreprises, l'une d'elles a dit croire qu'il m'était possible d'y donner des cours, en plus d'une charge d'enseignement pleine au régulier. L'idée m'intéresse : d'abord parce que j'ai eu un plaisir fou à enseigner aux groupes d'Hydro-Québec il y a quelques années, ensuite parce qu'un revenu supplémentaire serait le bienvenu. Je suis donc allé demander au syndicat si c'était correct. Les deux représentants qui étaient là sont des collègues de français, dont celui qui était coordo l'an dernier, avec qui j'ai eu quelques tensions. Je leur ai posé la question.

Oh que je me suis fait ramasser ! On m'a répondu avec véhémence que ça ne se faisait pas, que c'était du double emploi, que le collège et le département avaient une politique contre le double emploi, que c'était des charges qu'on laissait aux précaires, et que j'en avais bien profité, moi, alors que j'étais précaire. «*Come on*, les gars, chicanez-moi pas. Je fais le gars responsable, je viens poser les questions *avant* de faire quoi que ce soit. Je pose les questions et je m'informe.» On a ramené ça plus relaxe: en *joke*, M. m'a répondu que c'était parce que c'est l'*fun* me chicaner et ils m'ont répété pourquoi je ne peux pas donner ce cours.

Il y aurait des profs qui cumulent plusieurs tâches, en plus de leur emploi régulier, au point de se faire des revenus annuels de 130 000 $ (alors que le plafond est sous 80 000 $). C'est là que j'ai dit que c'était exactement ce que je voulais : je veux voyager, peut-être m'acheter un chalet, faut bien que j'augmente un peu mon revenu !

En un mot, c'est impossible, sauf si je vais donner des cours aux entreprises dans une autre institution, un collège négligent qui ne vérifie pas si ses employés sont en situation de double emploi.

(Soupir)

(Après l'assemblée départementale)
L'assemblée a fini assez tôt pour que je rentre à la maison avant que mon chum aille au lit – il va m'appeler dans quelques minutes.

Mais aujourd'hui, je suis un peu *primé*, survolté et plus ou moins content.

Vous vous souvenez peut-être qu'à la dernière assemblée départementale, j'ai joint le moribond comité d'animation pédagogique. Ma collègue P. et moi avons préparé un sondage pour savoir quels sont les besoins de nos collègues et ce sur quoi ils aimeraient qu'on travaille ; j'ai demandé aux coordos 10 minutes lors de l'assemblée d'aujourd'hui pour le faire remplir. On m'a répondu que l'assemblée était déjà chargée et que si je passais à la toute fin, mes collègues ne seraient plus assez attentifs. Bon, je prends donc mon trou jusqu'à la prochaine assemblée, dans trois semaines. D'ici là, le comité ne fera rien.

Mais c'est vrai qu'aujourd'hui, il y avait beaucoup de choses à l'ordre du jour. Entre autres, une de nos collègues, qu'on ne voit pas souvent parce qu'elle a un dégagement de tâche, est venue nous présenter la seconde version de notre guide d'autocorrection du français écrit, avec lequel nous travaillons déjà depuis le début de la session. Cependant, sa présentation était à mon humble avis un peu trop improvisée, trop détaillée, longue, et ennuyante – j'ai vu quelques collègues qui en profitaient pour corriger discrètement en tendant l'oreille. Finalement, la réunion a fini à 5 heures et nous aurions très certainement pu prendre 10 minutes de plus pour mon sondage. Merde. Après tout, on demande à nos élèves d'être attentifs pendant 3 h 40, et nous, on ne peut pas endurer deux heures de réunion? C'est frustrant d'avoir été *bumpé* par quelqu'un qui n'a pas su être concis et, à cause de ça, de ne pas pouvoir avancer notre travail.

(Après ma conversation avec D.)
D. me fait remarquer que je dois apprendre à séparer le travail de la vie quotidienne. Apprendre à décrocher le soir, à ne pas apporter les soucis de l'école dans ma vie personnelle, surtout quand ce sont des détails insignifiants comme ceux d'aujourd'hui. C'est pas facile quand la moitié du travail se fait à la maison.

Et quand on est passionné, entier, idéaliste.

Même ce journal que je tiens, il ne m'aide pas tant que ça. Comme je l'ai déjà dit, j'avais pour projet de m'en servir comme soupape, de l'utiliser pour moins chialer au collège, mais je m'aperçois que par moments, quand je consigne ce qui m'a énervé pendant la journée, ça m'énerve davantage. Ça ne m'aide pas à décrocher, au contraire, ça me fait pomper! Peut-être que, quand je vivrai avec mon chum, ça sera plus facile, mais dans le fond, je devrais régler ça avant qu'il déménage ici, pour que ça ne devienne pas un irritant dans notre quotidien.

Mon *burger* est réchauffé, je vais souper et écouter la télé pour me changer les idées. Quoi de mieux que d'écouter les problèmes invraisemblables de l'école de Fabienne Larouche ! (*Viarginie*, comme on dit, mon coloc et moi.)

Jeudi 20 octobre 2011 (Semaine 8)

Ce matin, il y a une heure, je me suis réveillé angoissé, et la première chose qui m'est venue en tête, c'est que ma consigne pour l'analyse littéraire de la semaine prochaine n'est pas encore prête. Il faudrait que je l'envoie aujourd'hui à la reprographie pour l'avoir lundi. Quelle désagréable façon de commencer une journée !

D'autre part, je viens de lire que la ministre veut favoriser davantage la lecture en première année du primaire. Bravo. C'est peut-être rien qu'une annonce, et c'est probablement rien qu'un autre projet vide et imposé par le haut plutôt qu'élaboré par la base, mais ne soyons pas contre la vertu. Bravo pour la bonne intention.

Dimanche 23 octobre 2011

La correction de l'analyse 1 du groupe du lundi est finie. La moyenne est un peu plus basse que dans les autres groupes, mais pas assez pour affirmer que la relance leur a fait tout oublier. La consigne de l'analyse 2 est partie à la repro hier, et je commence aujourd'hui à corriger le TP3 du groupe du mardi. (Hier, j'ai même réussi à faire du bouillon de poulet pour me changer les idées entre deux piles de travaux.)

Les trois prochaines semaines seront occupées, car à chaque semaine, tous les élèves ont une remise. Je me rappelle de ce que J.-F. me disait: c'est à eux de travailler, pas à moi, alors qu'en ce moment, j'ai l'impression de travailler plus qu'eux. J'espère que ce *rush* de correction en vaudra la peine.

Je suis content: un de mes deux collègues qui était au syndicat mercredi dernier, M., m'a écrit un courriel pour s'excuser de la manière raide avec laquelle ils m'ont reçu. Ça fait chaud au cœur.

Lundi 24 octobre 2011 (Cours 8)

Je suis passé à la coordination aujourd'hui pour demander si je pouvais faire un changement à ma demande de cours pour la session prochaine. Je voulais savoir s'il était possible d'avoir mon cours en un bloc de trois heures et un d'une heure (55 minutes) au lieu d'un bloc de quatre heures, ou de deux blocs de deux heures.

Je voudrais essayer de mettre toute l'histoire littéraire dans la période d'une heure, question d'avoir une rupture claire entre ces exposés et le reste du travail sur la forme du texte, sur l'analyse et sur la rédaction. Dans la forme actuelle de mes cours, un bloc de 3 h 40 par semaine, j'ai l'impression que ça mélange les élèves quand je passe d'un exposé d'histoire à d'autres remarques, sur la structure de leur dissertation, par exemple.

Mais ça ne sera pas possible : l'encadrement scolaire n'arriverait pas à faire entrer ça dans les horaires. (Je ne sais pas si on me dit ça de même ou si on a vérifié auprès de l'encadrement scolaire.)

Alors il n'y aura pas d'expérimentation dans ce sens-là. Donc, oui, adaptez-vous à la génération C et augmentez les taux de réussite, mais tout seuls, et arrangez-vous avec vos troubles. J'exagère, mais bon.

Sinon, j'ai corrigé et j'ai désossé toutes les carcasses de mon bouillon, tout ça avant de préparer mon cours pour demain. Je vais devoir présenter la Renaissance, l'humanisme et le courant baroque... en une heure et demie. Je vais garder la politique du XVIIe siècle pour la semaine prochaine, et enchaîner avec les Lumières.

J'ai l'impression qu'on me paie pour bâcler mon travail – et ça m'enrage. Je suis impuissant.

Le yoga m'a fait du bien, j'avais plein de points dans le dos – et il y en a encore. Voilà ce que fait une fin de semaine complète de correction !

Mardi 25 octobre 2011 (Semaine 9)

Pendant le cours

Ce matin, en arrivant au collège, avant d'aller à mon bureau, je suis allé au sous-sol chercher mes copies à la repro. J'y croise une collègue, à qui je demande dans l'ascenseur de jeter un coup d'œil à mes consignes pour l'analyse littéraire 2.

Je lui confie que j'ai du mal à formuler mes questions d'analyse et que je ne sais pas si je suis mieux de donner une question ou non – mon problème n'a pas été réglé depuis l'automne 2010. Ma collègue, elle, demande aux élèves de montrer la validité d'une affirmation (« Montrez que l'auteur fait X et Y ») et son énoncé propose les idées principales des paragraphes du développement – un peu comme ma coloc de bureau.

Moi, pour la dissertation d'aujourd'hui, j'ai formulé deux sujets avec un « comment » et un avec un « montrez que », en espérant qu'ainsi, les élèves n'oublieront pas de parler de la forme du texte : « Quels moyens Molière utilise-t-il pour rendre cette scène comique ? » ; « Comment Andromaque réagit-elle à la demande en mariage de Pyrrhus et comment l'exprime-t-elle ? » ; et « Montrez que le poème "L'Amarante" est un poème baroque. » Je ne sais pas si mes énoncés sont corrects ou trop difficiles, si les élèves trouveront quelque chose à dire, et si je pose les bonnes questions pour vérifier l'atteinte de la compétence. Je me sens très *insécure*. Selon ma collègue, mes questions fonctionnent.

En sortant de l'ascenseur, on continue notre discussion. Je lui explique que j'avais compris que « Montrez que » relevait de la dissertation explicative, la « compétence » du 102. Elle me confirme que j'ai raison, mais elle conclut en me disant quelque chose que je sais trop bien : dans le fond, on ne leur fait pas vraiment faire une analyse littéraire, car une analyse littéraire, c'est *sans* question, exactement comme je l'ai apprise à l'université[51].

Ça revient étrangement à mon commentaire d'hier : j'ai l'impression de bâcler mon travail.

11 h 30

Je passe aux ressources humaines pour signer mon contrat annuel et pour clarifier quelques détails par rapport au calcul de mon expérience.

J'apprends que la convention collective qui a été signée l'été dernier a changé le calcul de l'expérience.

---

51. Note de 2012 : Je vois que les questions sur l'analyse littéraire reviennent périodiquement dans mes carnets. Chaque collègue semble avoir sa propre façon de faire. Imaginez à la grandeur de la province !

Dans l'ancien régime, la première année d'enseignement comptait double, pour faciliter l'intégration des nouveaux professeurs. Cela a été changé dans le nouveau régime, mais pas seulement pour l'avenir : le changement est rétroactif. Ça implique qu'on a recalculé l'expérience, à la baisse donc, et ça explique que j'ai à peine progressé dans les échelons (de l'aristocratie de la province).

De plus, j'ai demandé qu'on comptabilise l'expérience d'enseignement que j'ai acquise à Berlin quand j'y enseignais à l'Institut français. On m'a reconnu 225 heures d'enseignement : dans l'ancien régime, on considérait que 405 heures de travail hors cégep comptaient comme une année d'expérience. Dans le nouveau, il en faut 525. On s'en est fait passer quelques p'tites vites lors de notre dernière convention collective.

Au moins, je suis rendu à l'échelon 7 et je monterai de deux échelons quand on aura approuvé le certificat que j'ai récemment terminé. Peut-être qu'un jour, je pourrai avoir un revenu qui me permette la petite vie bourgeoise si chère à notre société : maison, char, chien.

Ou bien, je me trouve une deuxième carrière.

(Au moins, les employés aux ressources humaines sont gentils !)

Dimanche 30 octobre 2011

J'écoute d'une oreille *Les Années lumières* à la radio de Radio-Canada. Arrive une entrevue au sujet de la pédagogie et du numérique. L'auteur qu'ils reçoivent en entrevue m'énerve avec son idéalisme et son enthousiasme. Selon lui, le numérique à l'école réduit le taux d'absentéisme, permet un enseignement individualisé, donne une « valeur ajoutée » à l'école, qui est rendue presque subitement interactive. Évidemment, son propos, c'est que c'est au prof de s'adapter aux élèves et aux nouvelles technologies – on dirait presque qu'il n'y a point de salut sans tableau électronique. Certains de ses commentaires sont intéressants, mais vidéoconférence, tablette, *e-learning* (c'est un Français, donc il ne francise pas les termes qu'il utilise), tout ça prend le dessus sur la matière, encore une fois. Il avait même l'air sincère quand il disait que des cours d'anglais par vidéoconférence avec un prof aux États-Unis, parce qu'il a un accent pittoresque, est une meilleure manière d'apprendre l'anglais. Mais ce qui m'énerve surtout, c'est qu'il n'y a aucune place dans ce qu'il dit pour une pluralité des méthodes : si c'est vrai que le numérique peut aider certains élèves, je ne crois pas qu'il est la solution idéale à tous les problèmes actuels du système d'éducation.

Quand je commence à corriger, après une seule copie, j'en ai marre et je me cherche aussitôt des excuses pour faire autre chose. J'ai donc préparé mon exposé pour cette semaine. Mais j'ai fini, et mon lavage est déjà tout fait... (Soupir) Il faut donc vraiment que je corrige.

Lundi 31 octobre 2011 (Cours 9)

7 h 45

J'ai préparé mon cours 10, pour cette semaine. La moitié du cours sera un exposé d'histoire littéraire, et on plongera ensuite dans *Jacques le fataliste*.

Mais en ne notant que les faits saillants de la politique et de la société du XVIIe siècle et en passant rapidement sur le classicisme français sous Louis XIV, j'ai déjà plus de notes qu'il n'en faut pour remplir une heure et demie de cours, alors qu'il faudrait en plus que je commence le XVIIIe.

Doublement frustrant : je suis en pleine lecture d'un numéro de *GEO Epoche*[52] sur Louis XIV, numéro

---

52 *Geo Epoche*, n° 42 – Der Sonnenkönig [Le Roi-Soleil], Hambourg, 2010, 170 p.

fouillé et fascinant où, moi-même, j'en apprends beaucoup – sur la Fronde, sur Mazarin, sur Colbert, sur l'affaire des poisons, sur la vie à la cour. Mais je ne pourrai rien utiliser : pas de temps en classe ! Moche, moche, moche !

Je trouve particulièrement fascinant de lire un pan de l'histoire de la France dans une revue allemande, qui a un point de vue différent que celui que je connais. Par exemple, là où nous avons l'habitude d'opposer le classicisme de la génération de 1660 (Molière, Racine, Boileau) au baroque du début du siècle (Corneille, par exemple), les Allemands font moins cette distinction. Pour eux, le XVIIe siècle est baroque jusqu'à la fin, comme en témoigne Versailles, château dont les ailes baroques ont été construites sous Louis XIV. Après tout, en y pensant bien, je réalise que *Dom Juan* est aussi une pièce baroque... J'ai hâte de lire l'article sur Molière, même si je ne pourrai pas vraiment m'en servir en cours.

Bon, j'enfile le chapeau tout croche que j'ai apporté, je mets à ma ceinture le couteau de boucher en plastique, et mon « costume » d'Halloween est réglé. Hop, au cours !

Mardi 1er novembre 2011 (Semaine 10)

Hier soir, je suis allé passer l'Halloween avec les enfants d'une amie que je connais depuis des années, M.-L. Elle est professeure de maternelle depuis maintenant 10 ans. Elle a commencé à enseigner tout de suite en sortant de l'université, pendant que je faisais ma maîtrise, et comme ça m'a pris quelque trois ans avant d'être engagé, ça explique la différence entre nos anciennetés – elle, elle est déjà rendue à son plafond salarial.

Nous avons parlé de tout et de rien, et quand notre troisième amie a amené le sujet de l'enseignement, M.-L. et moi étions d'accord : ça peut être un métier superbe, mais là où tout se gâche, c'est quand le ministère s'en mêle. Quand j'ai prononcé le mot *ministère*, M.-L. a eu la même réaction de dégoût que j'ai d'habitude quand la conversation en vient à ce sujet. Ce sentiment semble être répandu des fondations jusqu'au grenier de notre système scolaire.

Quand je lui ai fait ma blague habituelle (« Je démissionne et je deviens ministre de l'Éducation »), elle a réagi vivement : « Non, non, pas ministre ! Ne fais pas ça ! » Elle a raison, c'est pas le ministre qui a le pouvoir. Alors est-ce que je dois devenir rond-de-cuir pour changer le système d'éducation ?

Mercredi 2 novembre 2011 (Semaine 10)

Ce matin, je n'avais pas envie de me lever, pas envie de déjeuner, pas envie de prendre ma douche – ce que j'ai quand même fait. Je suis arrivé juste à temps pour le bus, j'ai entamé mes huit derniers dollars pour m'acheter un sandwich, que j'ai mangé en guise de déjeuner pendant les 10 dernières minutes avant le cours.

Le mercredi matin est le plus dur : il porte la fatigue du lundi et du mardi matin. Heureusement, il n'en reste plus que quatre !

Vendredi 4 novembre 2011 (Semaine 10)

Cette session, j'ai mis au programme deux sorties au théâtre. Et je me sens mal parce que j'ai l'impression que c'est financièrement trop pour certains étudiants.

J'ai demandé au centre d'animation en français s'il y avait un fonds d'aide. Non.

Est-ce que la fondation du collège pourrait aider ? Le surlendemain, je vais au local de ladite fondation, où on m'accueille chaleureusement. On m'arrête avant que je finisse ma question : « La date limite pour les demandes de financement était la semaine passée, mais ça n'est pas grave, je n'ai pas encore eu le temps de les compiler. Remplis-moi cette demande de projet rapidement, avec une lettre de la direction du service, pis il ne devrait pas y avoir de problème. De toute manière, on n'en a pas, des projets pour [le département de] français. » (Eh oui, elle a dit « on n'en a pas, des projets pour français ».)

Si vite, si efficace ? Eh oui.

Une fois la demande écrite, j'y ajoute les améliorations proposées par mes coordos, j'obtiens en 24 heures la lettre de la directrice du service et j'apporte le tout à la Fondation. Tout ça est bouclé en trois jours ! Il ne reste qu'à attendre l'approbation. C'est pas mal plus efficace que je l'aurais pensé !

Lundi 7 novembre 2011 (Cours 10)

Deuxième matin de panique de la session.

D'abord, réveil à 4 heures : pas encore l'heure du lever. Re-dodo. Second réveil : 7 h 26. Pour un cours à 8 heures. Me doucher, tout crisser dans l'sac : j'étais à l'arrêt avant que le bus de 7 h 40 ne passe, mais inquiet d'arriver à 8 h 16 dans une classe vide, j'ai pris un taxi et suis arrivé à ma salle de cours à 8 heures piles, plus pauvre de 15 dollars.

Le cours a bien été. Sauf que même si je n'ai pas donné plus de matière qu'à tous les autres groupes la semaine dernière, je n'ai pas eu le temps de travailler le troisième extrait de *Jacques*, alors que dans les autres groupes, on a fini avec 20 minutes d'avance. Bizarre.

Je suis de retour à la maison, affamé, et j'ai un bel après-midi de correction devant moi, à regarder le superbe et doux soleil d'automne.

Mardi 8 novembre 2011 (Semaine 11)

Pendant la pause

Ce matin, les Lumières en 45 minutes. Je suis insatisfait et essoufflé.

Au moins, au début du cours, je leur ai donné des trucs pour réviser leurs textes, puis 20 minutes pour relire et corriger leur seconde analyse littéraire, qu'ils ont faite à la maison, avant de me la rendre. Ainsi, j'aurai fait au moins une activité dans le but de leur faire atteindre la compétence qui vient d'être ajoutée par «là-haut» pour le 101: «réviser et corriger sa rédaction». En effet, entre la dernière fois où j'ai donné ce cours et cette fois-ci, il est apparu un nouvel objectif. On a donc plus de choses à faire, sans avoir plus de temps ni moins d'élèves, et sans qu'un autre objectif ait été enlevé. Non, rien. Voyez plus de matière, pis arrangez-vous comme vous voudrez, point.

En fait, nous enseignions déjà aux élèves à «réviser et corriger [leur] rédaction»; franchement, j'imagine mal un collègue qui ne donne aucun truc pour se corriger alors que la qualité de la langue compte pour 30 % de la note des élèves. Le problème, c'est pas qu'on nous demande de le faire ; ce qui me dérange, c'est qu'ils se câlissent de la réalité de nos cours et qu'ils s'amusent à les modifier, à les surcharger, juste parce qu'ils pensent avoir une nouvelle solution miracle à la faible qualité du français écrit.

J'espère que je pourrai au moins faire la deuxième partie de mon cours et poursuivre la lecture dirigée sans ce stress qui me pèse depuis ce matin.

Après le cours

Ouache. Chu pas content de mon cours. Mon exercice de lecture dirigée, je le trouve intéressant, mais en fin de compte, ce sont toujours les mêmes élèves qui participent. Le principe, c'est qu'un ou deux élèves lisent leur extrait, puis je pose des questions. Qu'est-ce qui se passe dans ce passage ? Qu'est-ce que Diderot dit au sujet de la liberté ? Comment l'exprime-t-il ? Quelles figures de style appuient son propos ? Quelques élèves essaient de trouver une réponse, mais les autres sont évachés, fixent leur livre des yeux (mieux que le plafond), cherchent peut-être pour vrai dans le texte, mais laissent répondre les cinq ou six moins endormis qui osent risquer de se tromper.

Même chose quand je pose les questions philosophiques! Qu'est-ce que la vérité? Qu'est-ce qu'un homme heureux? Sommes-nous libres? Silence.

Est-ce que je devrais faire comme dans le cours d'université où j'ai pris cet exercice et évaluer la participation orale des élèves? Bonne idée. À noter pour la prochaine fois. Et je dois aussi changer certaines questions.

L'autre difficulté de cet exercice, c'est que Diderot utilise souvent les mêmes procédés narratifs pour dire toujours la même chose, donc mes questions deviennent répétitives.

Au moins, quand je demande si le roman leur plaît, la réaction générale est assez positive.

On verra comment ça ira dans le groupe de demain.

⌣

Jeudi, il y a une journée de grève contre la hausse des frais de scolarité annoncée par le gouvernement. Ça vient bouleverser un peu la session – mais je ne m'en plains pas, j'ai toujours respecté les décisions démocratiques des étudiants.

Mercredi 9 novembre 2011 (Semaine 11)

Ce matin, à 8 heures, nous étions 13 en classe, moi inclus. Plusieurs sont arrivés pendant la première demi-heure ; j'ai ensuite barré la porte pour que les retardataires aient à frapper. En fin de compte, nous étions 22. Un seul absent m'avait avisé de son absence. Sur 37 inscrits au début de la session, j'en avais 32 confirmés à la semaine 4 ; de ces 32, je crois qu'il y en a au moins 7 que je ne verrai plus. Suis-je si terrible ?

On me raconte qu'auparavant, les élèves pouvaient avoir un échec par abandon même après la date officielle d'abandon des cours, s'ils faisaient signer un formulaire par leur prof. Ça avait l'avantage, pour eux, de ne pas nuire à leur cote R, qui leur permet d'accéder aux programmes universitaires contingentés, et de nous permettre de mieux les aider. J'ai souvent expliqué à un élève que ses difficultés n'étaient pas insurmontables et qu'il ne restait pas tant d'efforts à donner pour réussir. Karla m'en a d'ailleurs chaleureusement remercié en mai dernier.

Bref, je trouve dommage d'avoir perdu tant de monde en route dans ce groupe. Par contre, ça me fera moins de correction et je pourrai offrir plus de temps à ceux qui restent.

En fin de compte, avec 37 élèves par classe, seul le professionnalisme garantit que nous ferons notre possible pour décourager les abandons, car ça nous avantage quand un grand nombre décroche !

Ce matin, ma lecture dirigée de *Jacques* a mieux été qu'hier. Les discussions étaient plus intéressantes et je crois que les élèves se sont sentis interpellés par les questions sur la liberté, sur la vérité, sur la littérature, posées si peu sérieusement dans *Jacques*. Ça me semblait plus pertinent comme exercice.

Remarque : cette activité pédagogique serait beaucoup plus agréable en petits groupes, il y aurait plus d'élèves qui parleraient. Après tout, dans ce cours d'université, nous n'étions qu'une quinzaine. Donc, c'est à refaire, mais en demi-groupes.

Lundi 14 novembre 2011 (Cours 11)

En cours

Cette nuit, je me suis réveillé à 3 heures, puis à 5 heures, craignant de passer tout droit. À 6 heures, je me suis levé malgré mon envie de rester au lit – et j'ai quand même réussi à manquer mon autobus. J'ai dû prendre le métro. Beurk.

Avec la masse qui se pousse, mon manteau trop chaud, mon sac trop lourd, ma tasse de thé, je suis arrivé au collège à 7 h 45 tout en sueur. J'ai eu beau enlever ma chemise à mon bureau, j'ai dû la remettre, mouillée, pour venir en cours. C'est dégueulasse.

Après-midi
(Dans le métro au retour de l'école, écrit tout croche.) Je remarque une campagne de pub: « L'éducation des adultes et la formation continue. Passeport pour la vie. » Des mots clés en arrière-plan: « Travail », « Francisation », « Compétences », « Culture ». Pub du gouvernement du Québec.

(Complété en décembre 2011.) Je profite du moment où je saisis cette entrée pour trouver le site Internet qu'annonce cette publicité. Une petite recherche m'envoie sur le site de la Semaine québécoise des adultes en formation, où on voit la même affiche que dans le métro. C'est en fait une ligne d'aide téléphonique, Info Apprendre, pour informer sur les divers moyens de s'instruire: « Info Apprendre est une initiative du gouvernement du Québec dont la mise en œuvre a été confiée à la Fondation pour l'alphabétisation[53]. »

Rejoindre des analphabètes par une pub écrite? Je n'accuserai pas la Fondation pour l'alphabétisation,

---

53. « Info Apprendre », dans *Fondation pour l'alphabétisation*. [En ligne]. http://www.fondationalphabetisation.org/reference/info_apprendre. Consulté le 31 décembre 2011.

mais je pourrais continuer à dire que le ministère fait du n'importe quoi et n'est pas conséquent.

Sur le site de la Semaine québécoise de la formation aux adultes, de la belle *bullshit* ministérielle, que je laisse parler d'elle-même :

Québec, le 31 mars 2011 – La ministre de l'Éducation, du Loisir et du Sport, Mme Line Beauchamp, la ministre de l'Emploi et de la Solidarité sociale, Mme Julie Boulet, et le président de la Commission des partenaires du marché du travail, M. Jean-Luc Trahan, ont souligné aujourd'hui le lancement de la 9e édition de la Semaine québécoise des adultes en formation, qui se déroule cette année du 2 au 10 avril. À cette occasion, ils ont rappelé l'importance d'encourager l'acquisition de connaissances et de compétences tout au long de la vie.

Mais ils se câlissent des conditions dans lesquelles les étudiants qui raccrochent étudient, de celles de leurs enseignants, et donc, de la qualité de la formation. Je laisse la ministre poursuivre :

« Le gouvernement du Québec fonde de grands espoirs sur l'éducation des adultes et la formation continue pour favoriser la prospérité. Cet événement mobilisateur est une vitrine exceptionnelle pour promouvoir la qualité et la diversité des formations offertes aux étudiantes et étudiants adultes. Je les invite à saisir ces occasions d'apprentissage et à contribuer activement à la vie sociale et économique du Québec. Je remercie aussi tous les partenaires de leur engagement », a déclaré Mme Beauchamp[54].

Observez comme elle parle de l'éducation dont elle est la ministre : la formation est là pour la prospérité économique. L'école est là pour servir le marché, celui qui avale tout ; elle n'a aucune valeur en soi, elle n'est qu'un moteur de croissance. C'est donc pas nécessaire de lire de la littérature (ou de la philosophie, ou d'étudier en sciences humaines, ou... ou... ou...), c'est pas rentable. L'essentiel, c'est de suivre la recette que le ministère donne pour l'Épreuve, de faire un texte convenu, d'apprendre à rentrer dans le moule et de se conformer à ce que le marché du travail attend de soi.

Je cite Dalida : « Paroles, paroles, paroles, [...] que tu sèmes au vent. » Hostie que je hais la langue de bois.

Et je déclare à nouveau : *bullshit*.

54. « Le gouvernement du Québec encourage la formation continue », dans *Semaine québécoise des adultes en formation*. [En ligne]. http://www.adulteenformation.com/2011/03/le-gouvernement-du-quebec-encourage-la-formation-continue/. Consulté le 31 décembre 2011.

Soir

Je viens de piquer une crise en commençant à corriger les copies du groupe du jeudi. Crisse que c'est irritant! Est-ce que les consignes que je donne sont pour les chiens? Est-il possible de les lire et de les respecter?

J'ai demandé un travail avec l'en-tête du cours au lieu d'une page blanche, en caractère 12, à interligne 1,5 pour que je puisse écrire mes commentaires, et avec la grille de correction en annexe. La moitié du groupe n'a pas remis la grille, deux ou trois m'ont fait une page en-tête séparée et presque un quart a remis un texte à simple interligne – comme si ma consigne n'était qu'une fioriture sans importance. Il faudrait que je me mette à simplement refuser les travaux.

Je vous passe les erreurs de contenu, les mêmes erreurs qui se répètent malgré ce que j'ai expliqué, réexpliqué et répété. J'ai envoyé un message bête aux élèves et j'ai redemandé certains textes.

Ce qui me déprime surtout, c'est que j'ai l'impression de commencer un cycle infini de répétitions, de redites et d'exaspération : ce que les élèves de cette session finiront par comprendre, les prochains devront encore l'apprendre.

J'ai corrigé six analyses aujourd'hui. Ça devra suffire, j'arrête. Dans l'humeur où elles m'ont mis, c'est probablement mieux pour les élèves si je ne poursuis que demain. Et j'espère que le yoga aura pour effet de me faire décrocher et de me calmer.

Mardi 15 novembre 2011 (Semaine 12)

7 h 50
Ce matin, j'ai encore manqué le bus, même si je n'ai pas flâné comme hier. Il faut croire que cette mauvaise habitude que j'ai reprise pour décompresser le soir nuit à mes levers. Mais je n'ai pas pris le métro, j'ai pris le bus suivant, je suis arrivé à l'école 10 minutes avant mon cours, j'ai imprimé mes notes, et hop, en classe (au moins, pas mouillé comme hier).

11 h
Les élèves sont en train de rédiger leur examen.

Dans la première partie du cours, j'ai fait la troisième séance de lecture dirigée de *Jacques*. Ça n'a pas levé. Est-ce parce que j'ai commencé par ça et que leurs cerveaux étaient encore « dans l'jello » (*dixit* une étudiante)? C'était plate, ils répondaient à peine. Est-ce mes questions? Plusieurs s'endormaient, d'autres jacassaient. Le pire, c'est que trop d'élèves doivent encore lire leur extrait la semaine prochaine.

Après ce cours-ci, il n'en reste plus que trois, un pour finir *Jacques*, une rédaction, puis le cours final.

Pour la prochaine fois où je donnerai 101 : il faut que la participation aux discussions compte. Je devrais peut-être aussi éviter de faire cette activité pendant quatre cours d'affilée, pour leur laisser le temps de prendre de l'avance dans le roman. (Peut-être devrais-je avoir deux catégories de TP : écrits et oraux ?)

Ils ont fait l'examen très rapidement : je le corrigerai aussi rapidement, mais sévèrement. Je remarque toutefois que plusieurs n'ont pas répondu à la question à développement, qui porte sur la seconde pièce de théâtre du corpus que les élèves devaient choisir et lire (voir le 28 septembre). Donc, ils ne l'ont pas lue. (Soupir)

La session a bien été jusqu'à présent, mais ces niaiseries m'exaspèrent. Les consignes non respectées, les textes non lus, la mauvaise participation en classe exacerbent mon impatience et font que je me demande encore une fois si je ne devrais pas tout crisser là et me trouver une nouvelle *job*.

Est-ce que j'ai vraiment envie de passer ma carrière à répéter que les consignes doivent être suivies ? Crisse, me semble qu'après 11 ans à l'école, ils devraient savoir comment les respecter ! Je les lis même avec eux avant qu'ils ne rédigent ! Est-ce que j'ai une réserve de patience assez grande pour être capable d'endurer 30 autres années d'élèves qui ne font pas leurs lectures et qui espèrent que les bonnes notes vont leur tomber du ciel ? Pourquoi j'ai pas choisi de devenir un banquier sans scrupules ou, que sais-je, un plombier ? Je serais probablement plus zen et plus riche...

Samedi 19 novembre 2011

Ma correction va bon train : hier soir, j'ai fini de corriger les analyses du mercredi matin. Faut dire qu'avec seulement 22 élèves restant, ça va plus vite.

Je n'ai aucune idée pourquoi il y a tant d'abandons dans ce groupe[55].

Lundi 21 novembre 2011 (Cours 12)

20 h 30

Même si la correction va bien, je n'aurai aucun répit jusqu'à une semaine après la fin des classes, dans trois semaines. C'est que j'ai jusqu'à lundi prochain pour finir de corriger l'analyse 2, et dès le lendemain, des élèves rédigent l'analyse finale.

---

55. Note de 2012 : En relisant l'entrée du 2 novembre, j'ai une idée de la cause de ce haut taux de décrochage. Je ne suis peut-être pas le seul pour qui se lever est plus dur en plein milieu de la semaine !

Je me sens plus ou moins prêt pour mon cours de demain. Après les commentaires sur l'analyse littéraire corrigée que je rendrai et l'atelier sur la création, on doit terminer la lecture dirigée de *Jacques le fataliste*. Beaucoup d'élèves doivent encore lire leur extrait, il faudra que je restreigne les discussions. J'ai encore l'impression de *butcher* ma lecture. Il faut absolument que je trouve le moyen de réduire la matière et que je me débarrasse de cette mauvaise habitude de bourrer mes cours.

Pour la prochaine fois où je donnerai le 101 : pour optimiser la lecture dirigée, plutôt que de demander aux élèves de simplement lire un extrait du roman, je devrais leur faire faire une analyse littéraire de cet extrait, à l'oral. Est-ce que ça serait trop difficile ? Je sais plus.

En tout cas, la prochaine fois, la participation aux discussions *sera* évaluée !

Mercredi 23 novembre 2011 (Semaine 13)

Midi
Mon groupe du mercredi continue de s'amaigrir : il y avait 20 élèves en classe aujourd'hui.

Certes, ce matin, c'était la première neige, mais ça ne peut pas tout expliquer.

Le plus triste, c'est que les cours sont nettement plus agréables quand il y a moins d'élèves : on discute davantage, on peut digresser si on le souhaite, c'est plus relaxe, sans pour autant être moins productif. C'est schizo, de souhaiter l'abandon de ses élèves.

Après le cours, j'ai un entretien avec un étudiant, que je laisse me remettre (en retard) la seconde dissertation, bien que deux semaines se soient écoulées depuis la remise. (Dix jours ouvrables à 10 % de pénalité par jour = 100 % de retranché de la note finale ! Je vais devoir être plus gentil que ça. J'ai à cœur la réussite de mes élèves.)

Lundi 28 novembre 2011 (Cours 13)

Avant 8 h

Je viens de croiser dans l'escalier un collègue à qui j'ai raconté que si je corrige bien cet après-midi, j'aurai une fenêtre de 12 heures à jour dans mes corrections ! (Demain, l'analyse finale commence à rentrer.) Il me dit qu'après 20 ans d'expérience, ça s'améliore. (J'essayais pourtant de ne pas me plaindre !)

Mais il dit aussi qu'il pourrait me nommer des profs qui n'ont pas su s'améliorer, qui sont restés misérables toute leur carrière, qui ont dû prendre une retraite plus tôt, dont ils n'ont pas vraiment profité : il dit qu'ils étaient peu doués pour le bonheur – malgré une *job* parfaite qui offre trois mois de vacances. Il me parle de son frère : toute sa vie dans une usine avec deux semaines de vacances par an et même pas les moyens de se payer du golf l'été...

Il a raison. C'est vrai que c'est une bonne *job*. (Et là, dans ma tête, arrivent un « mais » ou un « si » qui veulent mettre la hache dans le système, mais ce matin, je vais les réprimer.)

17 h 30

Bon. J'ai corrigé l'analyse qui m'a été remise aujourd'hui, j'ai préparé mes questions pour celle de demain (je ne suis pas encore satisfait) et j'ai corrigé 11 des 28 examens du groupe de jeudi. Si je corrigeais les 17 autres maintenant, je serais complètement à jour... jusqu'à demain matin, 8 heures. Pour un gros 12 heures de paix.

Mais, je n'ai plus envie de travailler, j'ai plutôt envie de me récompenser un peu, et de me changer les idées jusqu'à mon cours de yoga à 19 h 30. Au diable les 17 copies (tiens, j'en fais encore une, ça sera pair) et je ferai le reste demain matin pendant que les élèves rédigeront leur analyse finale.

Donc pas de réel moment à jour.

Mardi 29 novembre 2011 (Semaine 14)

9 h

Devant moi, 29 têtes baissées qui planchent sur leur analyse finale. J'espère que mes instructions ont été assez claires, que les consignes seront respectées et que ma question est bien formulée. Oh, oh! quelqu'un se lève.

Nooooon! Elle vient me demander s'il est obligatoire de parler du style! Au secours! Ça fait trois mois que je leur dis qu'une analyse littéraire étudie les liens entre le style d'un texte et son propos! Je l'ai répété de je ne sais pas combien de manières et voilà qu'en pleine évaluation finale, une étudiante me demande s'il faut parler de la forme!

Quand un élève vient poser une question, il y en a toujours au moins un autre qui suit, qui n'avait pas osé se lever en premier. Le second étudiant vient demander quelque chose au sujet d'un personnage qui n'est pas dans l'extrait! Tabarnak! Je prends la parole et je répète à tout le groupe que l'analyse ne porte que sur le texte de l'extrait, pas sur l'œuvre en entier.

Ça augure mal.

Je viens de finir la pile d'examens qui me restaient. Mais les créations littéraires qu'ils m'ont rendues au début du cours trônent aussi sur ma table et demandent mon attention. Je vais prendre d'abord une pause, je vais saisir les notes à l'ordinateur, puis je reviendrai en classe, continuer à corriger.

13 h

Beaucoup d'élèves ont eu du mal à finir leur dissertation à temps – combien de fois leur ai-je dit de ne pas faire de brouillon ? Deux filles ont paniqué et sont sorties tôt – elles viendront demain recommencer.

D'autres ont demandé en sortant s'il y a une possibilité de reprise en cas d'échec.

J'ai bien hâte de voir de quoi ça aura l'air. Ah, si quelqu'un d'autre ou une machine pouvait corriger pour moi et me dire ce que je dois améliorer au cours !

J'allais oublier : je viens d'apprendre de manière encore informelle que j'aurai « ce que j'ai demandé » pour la session d'hiver, donc du 104, et que je n'aurai que trois groupes. Vive le contrat annuel : je ne suis plus payé à l'heure de cours !

19 h

Sept dissertations de corrigées. Ai-je fait une erreur en lisant d'abord le texte du meilleur de la classe ? Je l'ai lu et annoté sans mettre de note, puis j'en ai corrigé d'autres, qui avaient choisi la même question. Ensuite deux textes sur un autre sujet. En général, c'est faible.

Je crois que mes questions ont l'air trop faciles («Montrez que Diderot ne respecte pas la tradition romanesque»; «Montrez que *L'Illusion comique* de Corneille est baroque»), alors qu'elles ne le sont pas. Montrer cela à partir de l'extrait n'est pas aussi évident qu'on pourrait s'y attendre.

Mon extrait de *Jacques* pour l'analyse finale est à la fin du roman, alors que la majorité des élèves ne l'ont pas fini (je ne me leurre pas): ce choix était peut-être une erreur. Peut-être une erreur aussi de donner les textes une semaine à l'avance: dans une intro sur Diderot, je viens de trouver toutes les informations de Wikipédia, juste assez remaniées pour que je n'accuse pas de plagiat; le reste de la dissertation est bon, au moins – et pas plagié.

Ça me fait douter de tout. Suis-je trop sévère? pas assez? Et le double seuil[56], si c'est pas plus de travail, c'est plus de pression pour moi: c'est lors de la correction de l'épreuve finale que je dois décider de la réussite de l'élève. C'est vraiment pas facile, notamment dans le cas d'élèves qui ont bien travaillé, dont le cumulatif passe, mais qui ont eu de la difficulté lors de l'analyse finale.

---

56. Dans un cours à «double seuil», l'élève doit avoir plus de 60% à la fois à l'épreuve certificative du cours (l'évaluation finale) *et* au cumulatif des notes pour le réussir.

J'ai croisé une prof de travail social (nous étions au secondaire ensemble, et dans la troupe de théâtre) : elle est heureuse d'être dans la période calme de la session, où il n'y a plus de préparation et pas encore de correction. Je lui ai raconté que j'ai presque eu 12 heures à jour dans mes corrections. Elle a rétorqué : « Faut choisir sa discipline ! » J'étais un peu fru, mais je ne lui en veux pas, c'était une blague.

C'est vrai que j'ai pas choisi d'être prof en premier : j'ai d'abord choisi la littérature.

Mais c'est quand même injuste, dans le fond : nous avons le même salaire, et moi, je corrige à temps plein depuis un mois, en plus de préparer et de donner mes cours !

Maintenant, je vais aller méditer.

21 h

J'ai passé la moitié de la méditation à penser au travail. Je me ramenais dans le moment présent, et même pas deux minutes après, j'y pensais de nouveau.

Ce qui me préoccupait, c'est la faiblesse principale de mes élèves : ils peinent à trouver leurs idées secondaires, ce sont les deux sous idées qui prouvent l'idée principale de leur paragraphe argumentatif. Ils affirment quelque chose, mais ne savent pas décortiquer leur pensée, et au lieu de trouver deux sous arguments à expliquer, ils n'offrent que des exemples.

Je dois donc améliorer ça dans mon cours.

Au début de la session, en équipes de trois, je pourrais leur faire choisir un extrait de leur pièce. Lors de la première lecture, ils devront l'apprécier et le comprendre; lors de la seconde lecture, ils feront des remarques formelles et analyseront les liens entre ce qui est dit et comment c'est dit; lors de la troisième, ils regrouperont leurs remarques en idées secondaires, et de là, trouveront leurs idées principales et remettront le plan. Je pourrais peut-être même leur faire présenter leur analyse à la classe, oralement. On verra l'an prochain.

Mercredi 29 novembre 2011 (Semaine 14)

Pendant l'analyse finale du groupe de ce matin, je vois une étudiante dans le fond qui n'a pas l'air d'aller. Quand un peu plus tard, je passe près d'elle, je lui demande si ça va; elle répond: «Plus ou moins.» Je lui dis qu'avec le temps qu'il reste, elle n'a qu'à réviser son plan et à se concentrer sur la rédaction, mais qu'elle devrait prendre une pause. Quand je la croise devant les ascenseurs, je lui demande ce qui ne va pas: elle vient les yeux pleins d'eau, son grand-père est mourant. Je l'emmène à mon bureau, on parle un peu (c'est vrai que c'est un mauvais *timing*, pendant la première fin de session au cégep), je lui demande si je peux la serrer dans mes bras, puis elle retourne à sa dissertation.

Plus tard, de nouveau en classe, à un étudiant qui remet sa copie, je dis de consulter ses courriels régulièrement, car comme il n'a pas remis la seconde analyse (on s'était entendu la semaine dernière qu'il me la donnerait, même en retard), j'aurai peut-être besoin de le voir pour sa réussite. Il marmonne quelque chose au sujet de problèmes, ajoute même « judiciaires » et parle d'arrêter le cégep après cette session. C'est pas l'endroit ni le moment pour parler, je lui offre de passer à mon bureau s'il a besoin d'en discuter.

Il est donc arrivé à mon bureau vers midi et il m'a raconté que cet été, alors que la police avait barré une rue dans le cadre du mondial de football et qu'il était avec un ami et sa vieille (*dixit* l'étudiant) mère, celle-ci aurait décidé de franchir le barrage pour rentrer chez elle. Comme les policiers allaient la frapper, les jeunes se sont interposés, il y a eu une altercation. Entrave au travail des policiers et voies de fait. Il n'a rien dit à ses parents au Maroc pour ne pas inquiéter sa mère, alors il est tout à fait seul avec le stress d'une poursuite judiciaire. Je lui parle d'un ami qui, à cause d'une idiote poursuite qui a traîné trois ans, a fait une dépression ; je lui recommande d'alléger sa prochaine session, mais de ne pas abandonner l'école (je ne suis pas certain qu'il reviendrait), et je lui suggère d'aller chercher du soutien psychologique (j'ai démystifié le travail des psys). Il m'a beaucoup remercié ; je suis le premier qui lui ait ouvert cette porte et ça lui a fait du bien.

Surtout, la conversation était fort agréable.

(Je commence à trouver que je ressemble aux profs de Fabienne Larouche.)

Comme disait une de mes collègues, dès qu'on commence à connaître les élèves et à s'y attacher, la session finit. Dommage.

Jeudi 1er décembre 2011 (Cours 13)

Midi

Je viens de m'amuser à regarder le tableau cumulatif des notes – il est presque tout rempli !

Très peu d'élèves ont une note finale projetée en haut de 80 %. La note la plus élevée est de 89 % ; deux ou trois élèves par classe ont entre 80 et 83, la vaste majorité a entre 60 et 79 et quelques-uns sont en situation d'échec. Mes moyennes sont autour de 68 – 69 %.

C'est trop bas ? Je suis trop sévère ? Je sais pas. Ça ne me déplaît pas trop, la moyenne à 68 %.

Il me reste un peu de temps avant le cours : corrigeons.

Mardi 6 décembre 2011 (Semaine 15)

Dernier mardi ! Ce matin, premier dernier cours ! Youppi !

On a parlé de l'analyse de la semaine dernière, j'ai fait le retour sur la session pour avoir leurs commentaires et on a fait la table ronde sur les films. Un groupe de fini, plus que trois !

Je ne sais pas si c'est mon assiduité ou mon organisation, mais depuis la semaine passée, j'ai réussi à corriger toutes les analyses littéraires et les créations des deux premiers groupes ; j'ai remis ce matin leur copie corrigée aux élèves du mardi et je viens de finir ce qui restait pour demain. Ainsi, je n'aurai pas à garder à mon bureau des piles d'analyses qu'ils ne viendront jamais chercher ! Il me reste évidemment des babioles et des reprises à corriger, mais ça roule. Plus que deux groupes à finir !

Après le cours, j'ai reçu des élèves à mon bureau. La première n'a jamais eu une si basse note et elle en pleurait presque. Elle dit ne pas vouloir être auteure, mais dentiste – comme si seuls les auteurs devaient pouvoir bien exprimer leur pensée. Elle viendra à la reprise de mardi prochain.

Pour les deux autres, j'avais décidé de ne pas leur offrir la reprise, leur note était trop faible. Pour leur propre bien-être, il vaut mieux qu'ils reprennent le cours. Mais, finalement, en leur expliquant cela, je n'ai pas su être la brute que je voudrais être dans ces moments-là : j'ai flanché et leur ai dit de venir à la reprise (même si je ne crois pas qu'ils sauront la réussir).

Trois copies de plus à corriger !

Mercredi 7 décembre 2011 (Semaine 15)

7 h 50
J'ai de plus en plus de misère à me lever à 6 heures. Heureusement, il ne me reste que lundi prochain. Dernière ligne droite.

8 h 30
Dernier cours du mercredi. En ce moment, les élèves remplissent le formulaire d'évaluation du prof que j'ai créé à partir de ceux de mes collègues. Dans le groupe d'hier, le retour sur la session a été plutôt positif, mais

je n'ai pas encore eu le temps de compiler leur évaluation écrite.

Jeudi 8 décembre 2011 (Cours 14)

En croisant P. dans l'escalier, je lui ai dit que je partais dans deux semaines, qu'on devrait aller prendre une bière avant mon départ. Un collègue de philo qui passait par là m'interpelle tout de suite après, pour me dire de faire attention : lui aussi part la semaine prochaine, mais nous n'en avons pas le droit : « Ne le dis pas trop fort ! »

C'est vrai : notre MELS et notre collège nous gardent au pas !

J'hésite à parler ici de mon voyage. Celui de l'an dernier n'était pas vraiment illégal : je n'avais pas encore de contrat annuel. Cette année, je ne sais plus trop. Je suis sorti d'une réunion aux RH avec l'impression que je dois garantir à mon employeur l'exclusivité de ma force de travail, entre 8 heures et 23 heures du lundi au vendredi et d'août à juin, sans répit. Je ne trouve pas la définition de « disponibilité » dans la convention collective : est-ce que je dois être prêt à me rendre au collège en 30 minutes ? en 2 heures ? en 24 heures ? ou est-ce que je suis disponible si je consulte mes courriels plusieurs fois dans la journée? Jusqu'où ai-je le droit de faire du télétravail? Sais pas.

Mais ça semble assez clair: ce ne sont pas des «vacances» de *nowelle*. De toute manière, j'ai du travail, tout mon cours à préparer pour janvier. Mais dois-je le faire enchaîné au collège? Vacances de profs, mon cul[57]!

Le pire, c'est que personne ne vérifie vraiment si on reste près du cégep ou non. C'est plus une menace qu'un vrai règlement.

Qui penserait à empêcher les fonctionnaires, les policiers, les infirmières de prendre leurs vacances comme ils le veulent? On nous considère comme assez responsables pour nous laisser planifier notre travail comme on veut, surtout si ça ronge nos fins de semaine, nos soirées et nos nuits (et même notre été, car il nous faut bien du temps pour faire de nouvelles

---

57. Note de 2012: Vérification dans la convention collective. Pour 10 mois de disponibilité, nous avons 2 mois de vacances. De façon générale, la période de vacances se situe entre le 15 juin et le 1er septembre, excluant le 24 juin. La disponibilité (toujours pas vraiment définie) est de 32,5 heures par semaine, à raison (généralement) de 6,5 heures par jour, entre 8 heures et 23 heures. Ce n'est vraiment pas ce que j'avais compris aux Ressources humaines. Je n'ai pas le droit de travailler plus, un point c'est tout. Vacherie de vacherie.

lectures !), mais le temps repris, lui, ne nous appartient pas. Petit scandale sans importance.

Et ça n'est pas grave, parce que pour être prof, il faut être passionné ! On peut donc nous passer n'importe quoi, puisqu'on fait notre travail par passion ! Alors tout baigne !

J'en parlais à une employée de bureau du cégep, qui m'a rétorqué qu'elle, elle ne peut même pas travailler de chez elle : toutes ses heures de travail doivent se faire dans son bureau sans fenêtre. Alors je devrais me consoler. C'est drôle, de savoir que d'autres ont des conditions pires que les miennes ne m'a jamais vraiment consolé.

Je laisse les mentions du voyage dans ce carnet. J'en craindrai les revers s'il est un jour publié.

⌣

Hier, assemblée départementale – je les trouve moins ennuyantes qu'au début.

J'ai présenté aux collègues le projet que j'ai soumis à la fondation du collège pour aider les élèves moins aisés à payer leurs billets de théâtre. J'étais content de voir la majorité des collègues opiner du bonnet, me féliciter pour mon initiative. On m'a dit que la procédure habituelle aurait été de présenter le projet d'abord à l'assemblée, mais on ne me l'a pas reproché.

Des objections ont été soulevées quant à l'admissibilité au projet (qui pourra bénéficier de ces 10 $ remboursés pour une sortie au théâtre et comment on gérera ça), les mêmes que lors de ma rencontre avec les coordonnateurs à ce sujet. La collègue qui les a soulevées était super négative et désagréable. Ce ne sont pas ses objections qui m'ont énervé, mais la manière dont elle les a exprimées. Je lui aurais bien mis quelques baffes bien senties, surtout qu'elle corrigeait depuis le début de la réunion et qu'on aurait dit qu'elle cherchait les bibittes (c'est elle qui avait ennuyé tout le monde lors de la rencontre avec les TI). C'est des profs aigris comme ça qui me font craindre pour mon avenir[58]. Mais c'est pas grave.

Vendredi 9 décembre 2011 (Semaine 15)

Ça y est, ce matin, je suis déprimé.

Il faudrait que je corrige au moins 10 analyses littéraires aujourd'hui (et autant demain, et dimanche) pour les remettre lundi et pour être assez avancé afin que ceux du groupe du jeudi qui ont besoin d'une

---

58. Note de 2012 : J'ai eu l'occasion, depuis, d'avoir des échanges agréables avec cette collègue. Espérons que ça continuera de s'améliorer.

reprise puissent y venir, mardi (le calendrier est ainsi fait cette session que le dernier cours est *après* le jour consacré aux reprises, à cause de la journée de grève).

Les quatre copies que je viens de corriger sont incroyablement faibles – et elles viennent d'élèves qui ont été assidus et qui devraient réussir.

Le plus dur, en ce moment, c'est que j'ai identifié la faiblesse de mon cours pour cette session. Je n'ai pas assez insisté sur comment trouver ses idées pour l'argumentation, donc plusieurs élèves n'ont à peu près rien à dire et n'arrivent pas à décortiquer les idées qu'ils ont choisies. Si on ajoute à cela que l'analyse de la forme d'un texte est quelque chose qui est encore difficile pour eux, ça fait un vrai bordel. Donc, s'ils sont faibles, c'est de ma faute. Je me sens mal de les faire couler.

Pour être plus efficace, je devrais corriger d'abord les copies de ceux qui, je crois, auront besoin d'une reprise. Mais corriger tous les textes faibles l'un à la suite de l'autre, c'est dur pour le moral, et ça m'entraîne dans un tourbillon de pensées toujours plus déprimantes...

Samedi 10 décembre 2011

Gulp.

J'ai continué la correction du groupe du jeudi avec les plus faibles : 6 échecs sur 11 copies corrigées.

Je viens d'envoyer le courriel pour les reprises à 29 élèves, soit le quart de tous ceux qui ont fini leur session.

Gulp pour vrai.

OK, quelques-uns là-dedans étaient absents à l'évaluation finale, ce ne sont pas vraiment des reprises ; d'autres bénéficient de ma charité même s'ils n'ont pas remis la seconde analyse ; quelques autres encore devraient échouer sans reprise, mais je ne suis pas capable de dire non.

Ça va rallonger ma correction, mais ça n'est pas grave. Ce qui me dérange le plus, c'est mon impression d'être incompétent.

Dimanche 11 décembre 2011

Midi

Super ! Les deux premières copies du dimanche sont au seuil de réussite – à 60 % presque pile. Je l'ai déjà dit : l'ensemble est faible, les arguments sont superficiels et l'analyse de la forme est triviale.

À ce point de ma correction, je trouve que deux des trois questions que j'ai posées sont mal formulées, et, à voir les résultats, plusieurs aspects de mon enseignement doivent être inadéquats. Une chose est claire, je me suis planté pour l'objectif spécifique « classer des éléments stylistiques ».

Quand on a commencé à analyser les textes en septembre, j'ai passé quelques heures à leur expliquer les types de phrases, beaucoup moins à analyser des figures de style avec eux. Je me retrouve donc avec des textes où la seule chose qu'ils aient analysée stylistiquement, c'est le type de phrase. Certains élèves n'ont vu aucune métaphore, aucune accumulation, aucune gradation (et je parle des figures de style simples, pas des plus compliquées).

Mais pire, ils ne font pas l'analyse comme il faut : ils tirent de leurs remarques stylistiques des conclusions fausses ou complètement banales qu'ils ne sont pas capables de développer. Prenons, par exemple, la phrase suivante (tirée du début du roman) et analysons-la :

Et Jacques à la femme tombée ou ramassée : « Consolez-vous, ma bonne, il n'y a ni de votre faute, ni de la faute de M. le docteur, ni de la mienne, ni de celle de mon maître : c'est qu'il était écrit là-haut qu'aujourd'hui, sur ce chemin, à l'heure qu'il est, M. le docteur serait un bavard, que mon maître et moi serions deux bourrus, que vous auriez une contusion à la tête et qu'on vous verrait le cul…[59]

D'abord, c'est du discours direct – si je cherchais à montrer que Diderot ne respecte pas la tradition romanesque, je pourrais m'en servir d'exemple pour montrer que dans ce roman, Diderot privilégie la forme du dialogue, propre au théâtre et peu habituelle dans le roman. Ensuite, l'énumération « ni de votre faute, ni de la faute de M. le docteur, ni de la mienne, ni de celle de mon maître », où la répétition du « ni » a un effet comique, illustre le fatalisme du personnage : personne n'est responsable de la chute de la femme, puisque c'est le destin qui l'avait décidé. Selon Jacques, personne n'est responsable de ses actes, puisque le destin détermine tout ce qui se passera. De la même manière, l'énumération des circonstances (« aujourd'hui, sur ce chemin, à l'heure qu'il est »), qui appuie le fatalisme, celui qui règle tous les détails de la vie sur terre. Enfin, la phrase se termine sur une gradation : le destin avait décidé que « le docteur serait un bavard, que [Jacques et son maître seraient] deux bourrus, [que la paysanne aurait] une

59. Denis Diderot, *Jacques le fataliste et son maître*, Wikisource. [En ligne]. http://fr.wikisource.org/wiki/Jacques_le_fataliste_et_son_maître. Consultée le 7 avril 2013.

contusion à la tête et [qu'ils lui verraient] le cul... »
Cette gradation, qui clôt une phrase comportant déjà
deux autres énumérations, attire l'attention du lecteur
sur le dernier élément, et la petite vulgarité le surprend et le fait sourire, en plus d'illustrer de nouveau
la vision fataliste que Jacques a du monde. En somme,
Diderot montre que son Jacques croit fermement au
destin, mais il le fait d'une manière comique, en mul-
tipliant les circonstances, pour tourner au ridicule le
fatalisme du personnage.

Qu'est-ce que je viens de faire ? Je viens de vous
montrer comment le style de la phrase soutient le
propos de l'auteur. Je ne demande pas à mes étudiants
des analyses archi poussées ou parfaites, mais j'ai eu
des copies où c'en était tellement loin que ça n'avait
pas de sens.

J'ai eu un texte où « Jacques pose des questions
pour montrer qu'il a raison » (si on veut prouver cet
énoncé, il manque beaucoup d'explications), un autre
où « il utilise des phrases interrogatives pour faire
réaliser un fait à son maître » et où « Jacques utilise
des phrases déclaratives tout simplement pour dire ce
qu'il pense ». Wow ! *Insightful* ! Ce n'est pas tout faux,
c'est simplement sans intérêt. Que je leur aie dit qu'il
faut combiner cette analyse avec d'autres éléments
stylistiques, comme des figures de style, ça, ils l'ont

oublié. En somme, ils sont incapables de bien «classer des éléments stylistiques» – et c'est de ma faute.

J'ai rien qu'envie de finir de corriger tout ça au plus vite pour aller faire des biscuits de Noël, ou du ménage, ou n'importe quoi d'autre, juste pour ne plus y penser. Comme si je me foutais d'eux et de leur réussite, à laquelle je ne peux plus rien changer à ce point-ci. C'est comme si c'était moi qui échouais mon cours, parce que je n'ai pas réussi à bien leur transmettre cette compétence.

C'est con, mais je ne trouve pas ça juste, cette pression que j'ai par rapport à leur réussite. Je crois que je me sentirais objectivement mieux si quelqu'un d'autre devait déterminer la qualité de l'analyse litté-raire finale, quelqu'un qui n'a en tête ni leur assiduité, ni leur implication, quelqu'un qui ne voit que leur texte – en fin de compte, quelqu'un qui m'évalue, moi aussi, en les évaluant. (Mais je sais que si c'était ça la procédure, ça m'irriterait probablement davantage. C'est une machine à corriger qu'il me faut!)

Un étudiant du jeudi m'a demandé si je tenais compte dans ma correction du fait que le jeudi après-midi, les élèves sont fatigués et moins concentrés. Évidemment que je ne le peux pas.

La copie que je viens de corriger, celle d'un assez bon étudiant qui avait 71% au cumulatif jusqu'à présent, est si faible que s'il avait fait quelques fautes de langue de plus, il devrait lui aussi se pointer à la reprise de mardi.

Il faut me plonger dans la correction, sans plus me permettre d'états d'âme. Devenons robot pour quelques heures.

Lundi 12 décembre 2011 (Cours 15)

J'en parlais avec ma coloc de bureau, puis avec D. tout à l'heure : je me sens coupable du grand nombre d'échecs, même s'ils sont pour l'instant temporaires. C'est de ma faute.

D. essaie de m'aider à relativiser en comparant avec son travail : il arrive que certains projets n'aboutissent tout simplement pas. À cause d'erreurs de notre part ou à cause d'impondérables. Il ne faut pas s'apitoyer. Il faut aller de l'avant.

La différence, c'est que mes « projets » sont des humains et que je les connais, maintenant.

Mercredi 14 décembre 2011

Hier, c'était ma journée de reprises, suivie du souper de *nowelle* du département. Je n'ai pas mal aux cheveux (j'ai eu la sagesse de boire beaucoup d'eau entre chaque pinte), mais je n'ai pas envie de corriger.

Avant-hier, j'ai terminé les analyses littéraires finales ; hier, j'ai bouclé les créations. Il me reste 18 reprises à corriger (plus celles des trois qui la feront demain à cause d'un conflit d'horaire), quelques auto-corrections et six ou sept textes sur des lectures boni. C'est pour ainsi dire fini.

Quand je racontais hier aux collègues combien d'élèves avaient une reprise cette session, on me regardait avec de gros yeux. Mais bon, je suis tout de même plutôt à jour et je ne m'ajoute pas *tant* de travail (je corrige les reprises rapidement, sans commentaires ni notes détaillées, seulement avec la mention « Réussite » ou « Échec »). Je suis content d'offrir cette reprise aux élèves qui ont bien travaillé – et c'est un peu pour compenser ce que j'ai mal enseigné. Je leur ai donc donné hier, avant la rédaction, un mini-cours de révision, leur disant comment trouver leurs idées principales et secondaires à partir des remarques formelles qu'ils ont d'abord faites. On verra ce que ça donnera quand je corrigerai... ce que je n'ai pas envie de faire – d'où cette entrée de journal qui s'éternise et qui n'a pour simple but de ne pas travailler. Procrastination, quand tu nous tiens !

Pour procrastiner : compilation des résultats (automne 2011)

	Groupe 6239 (mardi)	Groupe 6240 (mercredi)	Groupe 6241 (jeudi)	Groupe 6238 (lundi)
Nombre d'inscrits au début de la session	37	37	37	37
Nombre d'inscrits après la date d'abandon	34	31	32	30
Nombre d'élèves présents à l'analyse finale	30	22	29	28
Nombre de reprises offertes => nombre de réussites	8 => 2	5 => 3	10 => 8	5 =>3
Cumulatif des notes finales (excluant les élèves qui ne sont pas venus à l'analyse finale)				
30-39 %	0	0	0	1
40-49 %	1	2	0	1
50-59 %	5	1	6	3
60-69 %	11	7	12	9
70-79 %	8	11	9	12
80-89 %	4	1	9	2
Moyenne :	67,2 %	69 %	65,7 %	70,7 %
			1 incomplet temporaire pour raisons médicales	
Totaux	127 inscrits après la date d'abandon			
	109 présents à l'analyse finale			
	28 reprises dont 16 réussies			
	Total : 20 échecs et 95 réussites			

Dimanche 18 décembre 2011

C'est fini.

Je suis fier de ma correction de cette session : j'ai réussi à remettre l'analyse finale et la création littéraire corrigées à presque tout le monde une seule semaine après leur remise. J'ai corrigé efficacement, on dirait. Évidemment, les derniers cas, les élèves assidus, appliqués, mais qui ont quand même coulé la reprise, sont les plus difficiles.

Il me reste à remettre les notes officiellement – je le fais cette semaine –, à compiler l'évaluation que les élèves ont remplie et les résultats du sondage auprès de mes collègues pour le comité d'animation pédagogique.

J'aimerais aussi passer quelques heures à clore mon 101 en préparant ce que je veux changer pour la prochaine fois : refondre le cours pour rectifier tout de suite le tir et atteindre l'objectif que j'ai manqué. Car, comme je le vois en relisant ces carnets, les remarques que je me fais, je les oublie.

Je dois aussi penser à mon 104 de la session qui vient, si je veux envoyer mon cahier de textes à la repro pour le 6 janvier.

Je regarde le plan-cadre du cours que je vais donner cet hiver pour voir ce qu'on attend de moi. Les plans-cadres sont décidés par les collèges, je crois, en fonction des devis ministériels : ils contiennent donc en détail ce que nos cours doivent apporter aux élèves. C'est le règne amer de la langue de bois et de la compétence transversale – qui me reste en travers de la gorge, ça doit être pour ça qu'elle s'appelle de même.

Lorsque j'ai vu tout ce que les élèves devront maîtriser après 60 heures de cours, ça m'a bloqué, castré ; je me suis dit que le cours que j'ai donné les trois dernières fois, dont un au début de ces carnets, n'était pas satisfaisant, même si ça a bien été : je n'ai pas respecté les objectifs. J'ai arrêté de travailler.

Voici quelques extraits de la « démarche d'apprentissage favorisée dans ce cours[60] » (pardonnez-moi de vous servir cette lecture indigeste).

La compétence visée par ce cours est la 4EFP : « Produire différents types de discours oraux et écrits liés au champ d'étude de l'élève ». C'est le 104, le cours où nous devons travailler davantage l'oral, entre 20 et 40 % de la note finale. « Différents types de discours » signifie qu'ils doivent faire au moins deux des trois types de textes suivants : informatif, argumentatif, expressif. Le problème, c'est que je ne sais pas quelle expertise j'ai pour évaluer des élèves par rapport à des domaines d'études que je ne connais pas. Aussi,

---

60. *Plan-cadre 601-4EA-**** (document interne du collège).

que fait-on des élèves qui voudraient voir en français autre chose que leur formation spécifique, que leurs cours de technique, par exemple ?

Ensuite, « [ce] dernier cours s'adresse aux élèves des programmes de techniques humaines, de gestion et de soins [infirmiers], ainsi qu'à ceux de sciences humaines, d'histoire et civilisation, de sciences de la nature et du double DEC (sciences/optimonde) et porte sur la littérature et la culture contemporaines. » Quoi ? Est-ce que ça porte sur leur domaine d'étude ou sur la littérature contemporaine ? Certains analyseront les cas sociaux dans une œuvre, les élèves en gestion étudieront le marché de l'art, ceux en soins infirmiers liront des livres de malades, ceux en sciences de la nature étudieront la chimie narrative, la mécanique de la poésie, le tout illustré par des graphiques littéraires[61] ? (Je sais, je fais de l'esprit de bottine.)

Ça s'améliore : « Le transfert des compétences visées par ce cours est maximisé puisque l'angle d'analyse : met l'accent sur le pourquoi des choses, l'analyse thématique, le personnage de fiction et rejoint ainsi les préoccupations propres aux élèves de

---

61. Note de 2012 : Des collègues me disent que le MELS nous oblige à offrir ce cours adapté au programme, il n'a pas le droit d'être général et pareil pour tous les élèves. Cette subdivision est le moindre mal qu'a trouvé le département de français pour ne pas être trop contraint par la politique.

ces programmes; se centre autour de l'intérêt pour la personne (approche psychanalytique) et son insertion dans le réel (approche sociocritique) des productions culturelles et littéraires. » Le transfert des compétences? C'est quoi ce jargon?! Il faut que je leur fasse transférer des compétences? De où à où? Comme d'un compte de banque à un autre? Quant à «le pourquoi des choses, l'analyse thématique, le personnage de fiction», je ne mets pas beaucoup l'accent là-dessus dans mon 104. L'analyse thématique, un peu. Au moins, de l'approche sociocritique, ça, j'en fais. Mais en général, je ne suis pas sûr d'adhérer à la prémisse voulant que ces trois approches littéraires rejoignent «les préoccupations propres aux élèves de ces programmes». Est-ce qu'on peut dire que les élèves d'un même programme ont nécessairement les mêmes préoccupations? C'est simpliste.

Ce n'est pas tout dans le plan-cadre qui m'énerve (je vous en épargne des passages), mais voici encore ce qu'on me commande: «le professeur place l'étudiant en situation d'utiliser pour l'étude de la littérature et de la culture contemporaines les habiletés intellectuelles développées dans le cadre de sa formation spécifique; [...] de faire un lien entre la culture contemporaine et son champ d'études». Je veux insister sur le fait que je ne connais pas la formation spécifique, ni les habiletés intellectuelles qu'ont développées ces étudiants.

Comment je peux les inciter à les utiliser ? Comment je fais même pour savoir quelles sont ces habilités ? Et comment ensuite savoir s'ils les ont bien utilisées ? Quant aux liens entre leur champ d'études et la culture contemporaine, je veux bien, mais je dois couvrir ça en même temps, dans la même classe, avec des élèves en gestion et de futurs infirmiers ?

Bla bla *fucking* bla.

Et ça, ça n'était que la première moitié de la première des quatre pages du plan-cadre. La seconde page donne les objectifs spécifiques du cours et des détails quant aux évaluations. Les deux dernières pages déclinent les sept « Éléments de la compétence » en 30 objectifs spécifiques.

Faisons encore de l'esprit de bottine : il faut donc que les élèves assimilent deux objectifs spécifiques par cours (multipliés par 15 cours, incluant le premier et le dernier cours de la session !) pour tous les atteindre.

Je sais que ces plans-cadres sont rédigés par certains de mes collègues (le MELS impose périodiquement que nous les réécrivions), avec les meilleures des intentions et dans les cadres prescrits. Probablement qu'ils travaillent avec un conseiller pédagogique, ce qui rend le tout encore moins digeste. Ce n'est pas contre ces collègues que j'en ai, ni contre leur travail, c'est contre cette formalisation de nos cours, cette fatigante précision exagérée.

Dans ce cours, il me semble que je permets aux élèves d'orienter leurs réflexions vers leur champ d'études, mais je ne l'exige pas. Par exemple, les étudiantes et étudiants en éducation spécialisée réagissent particulièrement bien à *Être*, un recueil de nouvelles que je mets au programme, et on en parle, mais ils ne sont pas obligés de parler d'éducation spécialisée dans les discussions! De toute manière, je ne voudrais surtout pas d'études de cas de personnages littéraires: la littérature n'est pas là pour ça!

Et plutôt que de porter sur les liens avec leur programme, il me semble que mes réflexions sont surtout citoyennes: je leur demande de réfléchir à leur identité, donc au politique, de se confronter avec la réalité migrante, et dès la prochaine session, avec la mémoire et les guerres[62].

Je vais laisser quelques jours passer, je ferai mon plan de cours en oubliant un peu le plan-cadre, puis j'imprimerai la liste des 30 objectifs secondaires et je surlignerai ceux que je considère avoir abordés au fil de la session. Ça devrait suffire.

---

62. Note de 2012: Cette «prochaine session», c'est la session hiver 2012, c'est le printemps québécois. Ce cours arrêté, puis condensé, je m'en souviendrai probablement toujours. Au début, on a parlé de bande dessinée comme prévu, mais après, j'ai dû tout modifier.

De toute manière, personne ne vérifie quoi que ce soit. Ni la direction, ni le département, ni les élèves. Je vais donner un bon cours, je vais essayer de leur faire atteindre les éléments de la compétence, je vais les faire travailler et apprendre, pis ça va finir là.

⌣

Jeudi soir, il n'y a pas tant d'élèves qui sont venus prendre une bière. En tout, une dizaine, des quatre groupes. Mais c'est la qualité qui compte, c'est les échanges informels : les habituelles surprises en voyant mon perçage et en apprenant que je suis gay (une s'en doutait), les discussions sur la session, sur leurs études ou sur leur choix de carrière. Il ne sert à rien que je raconte encore toutes les conversations, même si c'était complètement différent des autres fois – car avec d'autres élèves, plus jeunes.

Mais ma crainte, c'est de commencer à revivre toujours la même chose, avec des visages différents qui, au fil des sessions, se ressembleront tous dès qu'ils appartiendront aux neiges d'antan.

Jeudi déjà, je ne savais plus qui était dans quel groupe.

Vendredi, je ne me suis pas pointé au party du syndicat, où on m'avait pourtant convaincu d'aller (nourriture et alcool gratuits, en plus de collègues aussi heureux que moi de finir leur session), mais j'ai préféré rester ici, pour commencer à relire et à retravailler ces carnets, qui s'achèvent. Du moins pour ce premier élan.

Est-ce que je suis plus avancé que lorsque j'ai commencé? J'ai maintenant un contrat annuel, je suis passé à l'enseignement *mainstream*, et c'est vrai que je suis moins grognon que quand j'étais de soir. Je trouve encore les programmes contraignants, l'EUF inadéquate, la structure trop lourde, je trouve toujours inacceptables les conditions des élèves et des profs de soir – et j'ai toujours envie de faire sauter le MELS.

Mais j'écouterai le conseil de mon amie bibliothécaire: à l'école, on ne peut changer le monde qu'une conversation à la fois.

J'ai toujours envie de faire autre chose, de devenir cinéaste, doctorant, auteur, photographe, acteur; je doute encore autant de mon choix de carrière, sauf que maintenant, je suis un pas plus près de l'irréparable. Là non plus, rien n'a changé, j'ai encore mes doutes et je suis toujours à une décision près de sacrer ma carrière là.

Jeudi soir, Roxanne a marché vers la maison avec moi, elle me racontait ses questionnements: elle veut étudier en danse, mais s'est plutôt inscrite en Questions internationales (dont l'abréviation du programme – QI – est plutôt prétentieuse!). Elle ne sait pas trop, elle hésite : quoi faire de sa vie ? Je lui ai raconté que j'ai presque 20 ans de plus qu'elle et que je n'ai pas encore répondu à ces questions. Elle était découragée.

Donc oui, encore, tout foutre en l'air... Mais en attendant, me calmer les nerfs en me disant que je vois enfin D. bientôt.

Lundi 19 décembre 2011

Minuit
J'ai pris la fin de semaine pour relaxer.

C'est un lundi soir à minuit que je m'assois enfin pour rassembler les notes que j'ai prises un peu partout depuis quelques semaines : je commence à préparer la liste des exposés pour le 104 de la prochaine session.

J'ai fait une tentative de calendrier pour l'hiver.

Être prof, c'est travailler à toute heure.

Jeudi 22 décembre 2011 – Vol Montréal Zurich

Conclusion
Il faut clore ces carnets.

Je continuerai certainement à tenir un journal de prof, séparé de mon journal intime : il m'aide à me défouler et à organiser mes idées, mais cette première phase de l'aventure prend fin ici. Elle aura marqué ma transition de prof de soir au temps plein de jour, d'un asocial à quelqu'un qui participe aux assemblées syndicales et départementales, elle m'aura soutenu dans les dédales de mes doutes, et qui sait où elle me mènera encore.

L'année qui vient sera pleine de défis, des défis personnels, mais aussi collectifs, notamment pour les étudiants, qui ont déjà commencé à contester la hausse des droits de scolarité universitaires, imposée par le ministre des Finances Bachand et son chef Charest. Ça promet!

Annexe 1a – Liste des auteurs proposés à l'EUF

Il y a eu, entre février 1996 et décembre 2012, 58 Épreuves uniformes de français, donc 174 questions. Pour chaque question, le MELS propose un ou deux textes de référence. La liste qui suit présente les auteurs proposés, ainsi que le genre et l'époque de leur texte. J'ai numéroté les sujets d'épreuve pour faciliter la classification.

Je n'ai pas donné le genre littéraire précis des textes à l'étude (conte, fable, roman, nouvelle, comédie, drame, sonnet, chanson, etc.), mais bien la famille de genre (récit, théâtre, poésie, essai) – certains textes se retrouvent entre deux genres, tandis que, pour quelques autres, il me faudrait aller chercher l'œuvre pour en préciser exactement le genre littéraire et je suis trop paresseux pour cela.

Dans le cas de la littérature française, je n'ai pas fait le découpage par courants, mais par siècles, alors que j'ai utilisé un découpage usuel pour la littérature québécoise, c'est-à-dire : XIXᵉ siècle, littérature du terroir, littérature des ruptures (généralement entre 1930 et 1960, en rupture avec l'idéologie du terroir), Révolution tranquille, années 1970, années 1980 à

2000, puis littérature contemporaine pour les textes parus depuis 2000. (Veuillez noter que cette division des périodes de la littérature québécoise est imparfaite et ne tient pas compte, par exemple, de la diversité des courants, notamment au XIXe siècle. Ainsi, vous trouverez « Terroir » à côté de Nelligan, même si sa poésie n'a rien de la poésie du terroir, seulement parce qu'elle a été écrite à cette époque. Une réflexion plus poussée serait nécessaire pour bien classer les œuvres, mais ce n'est pas l'objet de cette annexe.)

Certains sujets ont été donnés à deux reprises, lorsqu'une épreuve supplémentaire a dû être ajoutée au calendrier habituel, avec à peine une modification dans le libellé de la question. (Ainsi, le sujet 149 est le même que le 108, le 150 que le 39, le 151 que le 84, le 161 que le 43, le 162 que le 96 et le 163 que le 40.) Je considère toutefois que ces sujets sont indépendants et compterai donc chaque occurrence.

Sujet 1 (3 février 1996) : Daigle, Jean (théâtre ; Québec 1980-2000)

Sujet 2 (3 février 1996) : Balzac, Honoré de (récit ; XIXe siècle) et Molière (théâtre ; XVIIe siècle)

Sujet 3 (3 février 1996) : Garneau, Saint-Denys (poésie ; Québec Ruptures) et Prévert, Jacques (poésie ; XXe siècle)

Sujet 4 (15 mai 1996) : Ronsard, Pierre de (poésie ; XVIᵉ siècle) et Queneau, Raymond (récit ; XXᵉ siècle)

Sujet 5 (15 mai 1996) : Kokis, Sergio (récit ; Québec 1980-2000) et Baudelaire, Charles (poésie ; XIXᵉ siècle)

Sujet 6 (15 mai 1996) : Proulx, Monique (récit ; Québec 1980-2000)

Sujet 7 (7 août 1996) : Rimbaud, Arthur (poésie ; XIXᵉ siècle) et Ferré, Léo (poésie ; XXᵉ siècle)

Sujet 8 (7 août 1996) : Tremblay, Michel (théâtre ; Québec 1970)

Sujet 9 (7 août 1996) : Laberge, Albert (récit ; Québec Ruptures) et Savard, Félix-Antoine (récit ; Québec Terroir)

Sujet 10 (18 décembre 1996) : Laberge, Marie (récit ; Québec 1980-2000) et Lafayette, Mme de (récit ; XVIIᵉ siècle)

Sujet 11 (18 décembre 1996) : Ionesco, Eugène (théâtre ; XXᵉ siècle)

Sujet 12 (18 décembre 1996) : Dor, George (poésie ; Québec 1980-2000) et Lapointe, Gatien (poésie ; Québec Révolution tranquille)

Sujet 13 (14 mai 1997) : Rousseau, Jean-Jacques (essai ; XVIIIᵉ siècle) et Nokan, Charles (poésie ; XXᵉ siècle - Francophonie)

Sujet 14 (14 mai 1997): Tremblay, Michel (théâtre; Québec 1970) et Tremblay, Michel (théâtre; Québec 1980-2000)

Sujet 15 (14 mai 1997): Fréchette, Louis (récit; Québec Terroir)

Sujet 16 (13 août 1997): Dubé, Marcel (théâtre; Québec Révolution tranquille)

Sujet 17 (13 août 1997): Grandbois, Alain (poésie; Québec Ruptures) et Éluard, Paul (poésie; XXe siècle)

Sujet 18 (13 août 1997): Maupassant, Guy de (récit; XIXe siècle)

Sujet 19 (17 décembre 1997): Lepage, Roland (théâtre; Québec 1970) et Camus, Albert (théâtre; XXe siècle)

Sujet 20 (17 décembre 1997): Giguère, Roland (poésie; Québec 1970)

Sujet 21 (17 décembre 1997): Baudelaire, Charles (poésie; XIXe siècle) et Maupassant, Guy de (récit; XIXe siècle)

Sujet 22 (13 mai 1998): Garneau, Michel (poésie; Québec 1970) et Hugo, Victor (poésie; XIXe siècle)

Sujet 23 (13 mai 1998): Anouilh, Jean (théâtre; XXe siècle)

Sujet 24 (13 mai 1998): Guèvremont, Germaine (récit; Québec Terroir) et Hémon, Louis (récit; Québec Terroir)

Sujet 25 (12 août 1998): Molière (théâtre; XVIIe siècle) et Romains, Jules (récit; XXe siècle)

Sujet 26 (12 août 1998): Aude (récit; Québec 1980-2000)

Sujet 27 (12 août 1998): Lamartine, Alphonse (poésie; XIXe siècle) et Apollinaire, Guillaume (poésie; XXe siècle)

Sujet 28 (16 décembre 1998): Barbeau, Jean (théâtre; Québec 1980-2000) et Brel, Jacques (poésie; XXe siècle)

Sujet 29 (16 décembre 1998): Bourgault, Pierre (Essai; Québec 1980-2000)

Sujet 30 (16 décembre 1998): Ringuet (récit; Québec Terroir) et Zola, Émile (récit; XIXe siècle)

Sujet 31 (19 mai 1999): Loranger, Françoise (théâtre; Québec Révolution tranquille)

Sujet 32 (19 mai 1999): Hugo, Victor (poésie; XIXe siècle) et Hugo, Victor (récit; XIXe siècle)

Sujet 33 (19 mai 1999): Roy, Gabrielle (récit; Québec Ruptures) et De Noailles, Anna (poésie; XXe siècle)

Sujet 34 (11 août 1999): Dubé, Marcel (théâtre; Québec Révolution tranquille) et Aymé, Marcel (récit?; XXe siècle)

Sujet 35 (11 août 1999): Musset, Alfred de (poésie; XIXe siècle) et Proust, Marcel (récit?; XXe siècle)

Sujet 36 (11 août 1999): Chen, Ying (récit; Québec 1980-2000)

Sujet 37 (15 décembre 1999): Desrochers, Alfred (poésie; Québec Ruptures)

Sujet 38 (15 décembre 1999): Daudet, Alphonse (récit; XIXe siècle)

Sujet 39 (15 décembre 1999): Bessette, Gérard (théâtre; Québec Révolution tranquille) et Molière (théâtre; XVIIe siècle)

Sujet 40 (18 décembre 1999): Balzac, Honoré de (récit; XIXe siècle) et Mérimée, Prosper (récit; XIXe siècle)

Sujet 41 (18 décembre 1999): Laberge, Marie (récit?; Québec 1980-2000)

Sujet 42 (18 décembre 1999): Favreau, Marc (Sol) (monologue; Québec 1980-2000) et Brel, Jacques (poésie; XXe siècle)

Sujet 43 (17 mai 2000): Nelligan, Émile (poésie; Québec Terroir) et Verlaine, Paul (poésie; XIXe siècle)

Sujet 44 (17 mai 2000): Pagnol, Marcel (récit; XXe siècle)

Sujet 45 (17 mai 2000): Bombardier, Denise (essai; Québec 1980-2000) et Pennac, Daniel (récit; XXe siècle)

Sujet 46 (9 août 2000): Saint-Denys Garneau, Hector de (poésie; Québec Ruptures) et Nelligan, Émile (poésie; Québec Terroir)

Sujet 47 (9 août 2000) : Mouawad, Wajdi (théâtre ; Québec 1980-2000)

Sujet 48 (9 août 2000) : Maupassant, Guy de (récit ; XIXe siècle)

Sujet 49 (20 décembre 2000) : Hébert, Anne (poésie ; Québec Ruptures)

Sujet 50 (20 décembre 2000) : Huston, Nancy (récit ; XXe siècle)

Sujet 51 (20 décembre 2000) : Zola, Émile (récit ; XIXe siècle) et Montesquieu (récit ; XVIIIe siècle)

Sujet 52 (16 mai 2001) : Thériault, Yves (récit ; Québec Révolution tranquille)

Sujet 53 (16 mai 2001) : Desrochers, Clémence (récit ; Québec 1970) et Tremblay, Michel (théâtre ; Québec 1980-2000)

Sujet 54 (16 mai 2001) : Baudelaire, Charles (poésie ; XIXe siècle) et Nerval, Gérard de (poésie ; XIXe siècle)

Sujet 55 (8 août 2001) : Blais, Marie-Claire (récit ; Québec Révolution tranquille)

Sujet 56 (8 août 2001) : Guèvremont, Germaine (récit ; Québec Terroir) et Gautier, Théophile (poésie ; XIXe siècle)

Sujet 57 (8 août 2001) : Pedneault, Hélène (théâtre ; Québec 1980-2000) et Philipe, Anne (récit ; XXe siècle)

Sujet 58 (19 décembre 2001): Hugo, Victor (poésie; xixe siècle) et Holder, Éric (récit; xxie siècle)

Sujet 59 (19 décembre 2001): Jardin, Alexandre (récit; xxe siècle)

Sujet 60 (19 décembre 2001): Vigneault, Gilles (poésie; Québec 1970) et Gélinas, Gratien (théâtre; Québec Ruptures)

Sujet 61 (15 mai 2002): Musset, Alfred de (théâtre; xixe siècle)

Sujet 62 (15 mai 2002): Miron, Gaston (poésie; Québec 1970) et Pilon, Jean-Guy (poésie; Québec Révolution tranquille)

Sujet 63 (15 mai 2002): Tremblay, Michel (récit; Québec 1980-2000) et Flaubert, Gustave (récit; xixe siècle)

Sujet 64 (7 août 2002): Poulin, Jacques (récit; Québec 1980-2000)

Sujet 65 (7 août 2002): La Fontaine, Jean de (récit - poésie; xviie siècle) et Voltaire (récit; xviiie siècle)

Sujet 66 (7 août 2002): Grignon, Claude-Henri (récit; Québec Ruptures) et Molière (théâtre; xviie siècle)

Sujet 67 (18 décembre 2002): Montherlant, Henry de (théâtre; xxe siècle)

Sujet 68 (18 décembre 2002): Hugo, Victor (poésie; xixe siècle) et Montherlant, Henry de (théâtre; xxe siècle)

Sujet 69 (18 décembre 2002) : Roy, Gabrielle (récit ; Québec Ruptures) et Desbordes-Valmore, Marceline (poésie ; XIXe siècle)

Sujet 70 (14 mai 2003) : Miron, Gaston (poésie ; Québec 1970) et Prévert, Jacques (poésie ; XXe siècle)

Sujet 71 (14 mai 2003) : Gautier, Théophile (récit ; XIXe siècle)

Sujet 72 (14 mai 2003) : Dubé, Marcel (théâtre ; Québec Ruptures)

Sujet 73 (6 août 2003) : Leclerc, Félix (récit ; Québec Ruptures)

Sujet 74 (6 août 2003) : Saint-Denys Garneau, Hector de (poésie ; Québec Ruptures) et Baudelaire, Charles (poésie ; XIXe siècle)

Sujet 75 (6 août 2003) : Pagnol, Marcel (théâtre ; XXe siècle)

Sujet 76 (17 décembre 2003) : Dor, George (poésie ; Québec 1970) et Vigneault, Gilles (poésie ; Québec 1970)

Sujet 77 (17 décembre 2003) : Molière (théâtre ; XVIIe siècle)

Sujet 78 (17 décembre 2003) : Ducharme, Réjean (récit ; Québec 1970) et Pérec, Georges (récit ; XXe siècle)

Sujet 79 (12 mai 2004) : Delisle de la Drevetière, Louis-François (théâtre ; XVIIIe siècle)

Sujet 80 (12 mai 2004) : Soucy, Gaétan (récit ; Québec 1980-2000)

Sujet 81 (12 mai 2004) : Grandbois, Alain (lettre (essai) ; Québec Ruptures) et Mallarmé, Stéphane (lettre (essai) ; XIXe siècle)

Sujet 82 (11 août 2004) : Carco, Francis (poésie ; XXe siècle) et Prévert, Jacques (poésie ; XXe siècle)

Sujet 83 (11 août 2004) : Tremblay, Michel (théâtre ; Québec Contemporain) et Dubé, Marcel (théâtre ; Québec Ruptures)

Sujet 84 (11 août 2004) : Maupassant, Guy de (récit ; XIXe siècle)

Sujet 85 (15 décembre 2004) : Languirand, Jacques (théâtre ; Québec Révolution tranquille)

Sujet 86 (15 décembre 2004) : Nelligan, Émile (poésie ; Québec Terroir) et Baudelaire, Charles (poésie ; XIXe siècle)

Sujet 87 (15 décembre 2004) : Schmitt, Éric-Emmanuel (récit ; XXe siècle)

Sujet 88 (18 mai 2005) : Loranger, Françoise (théâtre ; Québec Révolution tranquille) et Maupassant, Guy de (récit ; XIXe siècle)

Sujet 89 (18 mai 2005) : Julien, Pauline (poésie ; Québec 1970) et Balzano, Flora (récit ; Québec 1980-2000)

Sujet 90 (18 mai 2005): Saint-Exupéry, Antoine de (récit; XXe siècle)

Sujet 91 (11 juin 2005): Mouawad, Wajdi (théâtre; Québec Contemporain)

Sujet 92 (11 juin 2005): Ferland, Jean-Pierre (poésie; Québec 1980-2000) et Leclerc, Félix (poésie; Québec Révolution tranquille)

Sujet 93 (11 juin 2005): Flaubert, Gustave (récit; XIXe siècle)

Sujet 94 (10 août 2005): Nelligan, Émile (poésie; Québec Terroir) et Nelligan, Émile (poésie; Québec Terroir)

Sujet 95 (10 août 2005): Daudet, Alphonse (récit; XIXe siècle)

Sujet 96 (10 août 2005): Dubé, Marcel (théâtre; Québec Ruptures)

Sujet 97 (14 décembre 2005): La Fontaine, Jean de (récit - poésie; XVIIe siècle) et Kessel, Joseph (récit; XXIe siècle)

Sujet 98 (14 décembre 2005): Meunier, Claude et Louis Saia (théâtre; Québec 1980-2000)

Sujet 99 (14 décembre 2005): Guèvremont, Germaine (récit; Québec Ruptures)

Sujet 100 (17 décembre 2005): Langevin, Gilbert (poésie; Québec 1970) et Langevin, Gilbert (poésie; Québec 1980-2000)

Sujet 101 (17 décembre 2005) : Beauchemin, Yves (récit ; Québec 1980-2000)

Sujet 102 (17 décembre 2005) : Marivaux (théâtre ; XVIIIe siècle)

Sujet 103 (17 mai 2006) : Pennac, Daniel (récit ; XXe siècle) et Sartre, Jean-Paul (essai ; XXe siècle)

Sujet 104 (17 mai 2006) : Barrette, Jacqueline (théâtre ; Québec 1980-2000)

Sujet 105 (17 mai 2006) : Daudet, Alphonse (récit ; XIXe siècle)

Sujet 106 (9 août 2006) : Nothomb, Amélie (récit ; XXe siècle – francophonie)

Sujet 107 (9 août 2006) : Girard, Rodolphe (récit ; Québec Terroir)

Sujet 108 (9 août 2006) : Fortin, André (poésie ; Québec 1980-2000) et Issenhuth, Jean-Pierre (essai ; Québec Contemporain)

Sujet 109 (13 décembre 2006) : Hugo, Victor (poésie ; XIXe siècle)

Sujet 110 (13 décembre 2006) : Archambault, Gilles (essai ; Québec 1980-2000) et Buies, Arthur (essai ; Québec XIXe siècle)

Sujet 111 (13 décembre 2006) : Tremblay, Michel (théâtre ; Québec 1980-2000)

Sujet 112 (11 mai 2007): Vigneault, Gilles (poésie; Québec 1970) et Neruda, Pablo (poésie; xxᵉ siècle)

Sujet 113 (11 mai 2007): Bessette, Gérard (récit; Québec Révolution tranquille) et Camus, Albert (récit; xxᵉ siècle)

Sujet 114 (11 mai 2007): Blais, Marie-Claire (théâtre; Québec 1970)

Sujet 115 (18 août 2007): Lamartine, Alphonse de (poésie; xixᵉ siècle) et Nouveau, Germain (poésie; xixᵉ siècle)

Sujet 116 (18 août 2007): Beauvoir, Simone de (essai; xxᵉ siècle)

Sujet 117 (18 août 2007): Mouthier, Maxime-Olivier (récit; Québec Contemporain) et Vigneault, Guillaume (récit; Québec Contemporain)

Sujet 118 (11 décembre 2007): Baudelaire, Charles (poésie; xixᵉ siècle)

Sujet 119 (11 décembre 2007): Grignon, Claude-Henri (récit; Québec Ruptures) et Ringuet (récit; Québec Terroir)

Sujet 120 (11 décembre 2007): Micone, Marco (théâtre; Québec 1980-2000)

Sujet 121 (10 mai 2008): Sand, George (récit; xixᵉ siècle)

Sujet 122 (10 mai 2008): Pelletier, Pol (théâtre; Québec 1980-2000) et Roy, Gabrielle (récit; Québec 1980-2000)

Sujet 123 (10 mai 2008): Bissoondath, Neil (récit; Québec 1980-2000)

Sujet 124 (10 août 2008): Proulx, Monique (récit; Québec 1980-2000)

Sujet 125 (10 août 2008): Thériault, Yves (récit; Québec Ruptures) et Giono, Jean (récit; xxe siècle)

Sujet 126 (10 août 2008): Garneau, Michel (théâtre; Québec 1970)

Sujet 127 (3 décembre 2008): Roy, Gabrielle (récit; Québec 1980-2000) et La Fayette, Mme de (récit; xviie siècle)

Sujet 128 (3 décembre 2008): Kattan, Naïm (récit; Québec 1970)

Sujet 129 (3 décembre 2008): Baudelaire, Charles (poésie; xixe siècle) et Pagnol, Marcel (théâtre; xxe siècle)

Sujet 130 (13 mai 2009): Morency, Pierre (poésie; Québec 1980-2000) et Maupassant, Guy de (poésie; xixe siècle)

Sujet 131 (13 mai 2009): Colette (récit; xxe siècle)

Sujet 132 (13 mai 2009): Trudel, Sylvain (récit; Québec 1980-2000) et Gary, Romain (récit; xxe siècle)

Sujet 133 (12 août 2009): Morency, Pierre (récit - Essai; Québec 1980-2000)

Sujet 134 (12 août 2009) : Maupassant, Guy de (récit ; XIXe siècle)

Sujet 135 (12 août 2009) : Chenelière, Evelyne de la (théâtre ; Québec Contemporain) et Sand, George (récit ; XIXe siècle)

Sujet 136 (15 décembre 2009) : Baudelaire, Charles (poésie ; XIXe siècle) et Mérimée, Prosper (récit ; XIXe siècle)

Sujet 137 (15 décembre 2009) : Duras, Marguerite (récit ; XXe siècle)

Sujet 138 (15 décembre 2009) : Ernaux, Annie (récit ; XXe siècle) et Dupré, Louise (théâtre ; Québec Contemporain)

Sujet 139 (12 mai 2010) : Saint- Denys Garneau, Hector de (poésie ; Québec Ruptures) et Lamartine, Alphonse (poésie ; XIXe siècle)

Sujet 140 (12 mai 2010) : Harvey, Jean-Charles (récit ; Québec Ruptures) et Orwell, George (récit ; XXe siècle)

Sujet 142 (12 mai 2010) : Tremblay, Michel (théâtre ; Québec Contemporain)

Sujet 142 (27 août 2010) : Martel, Yann (récit ; Québec 1980-2000) et Hugo, Victor (récit ; XIXe siècle)

Sujet 143 (27 août 2010) : Grignon, Claude-Henri (récit ; Québec Ruptures)

Sujet 144 (27 août 2010) : Carrier, Roch (récit ; Québec Révolution tranquille) et Vian, Boris (poésie ; XXᵉ siècle)

Sujet 145 (15 décembre 2010) : Roy, Gabrielle (récit ; Québec Ruptures) et Ciam, Gabrielle (récit ; XXIᵉ siècle)

Sujet 146 (15 décembre 2010) : Dubé, Marcel (théâtre ; Québec Ruptures)

Sujet 147 (15 décembre 2010) : Émond, Bernard (récit ; Québec Contemporain) et Duras, Marguerite (récit ; XXᵉ siècle)

Sujet 148 (18 décembre 2010) : Fortin, André (poésie ; Québec 1980-2000) et Issenhuth, Jean-Pierre (essai ; Québec 1980-2000)

Sujet 149 (18 décembre 2010) : Bessette, Gérard (récit ; Québec Révolution tranquille) et Molière (théâtre ; XVIIᵉ siècle)

Sujet 150 (18 décembre 2010) : Maupassant, Guy de (récit ; XIXᵉ siècle)

Sujet 151 (18 mai 2011) : Prévert, Jacques (poésie ; XXᵉ siècle) et Baudelaire, Charles (poésie ; XIXᵉ siècle)

Sujet 152 (18 mai 2011) : Languirand, Jacques (théâtre ; Québec Ruptures)

Sujet 153 (18 mai 2011) : Mavrikakis, Catherine (récit ; Québec Contemporain) et Despentes, Virginie (récit ; XXIᵉ siècle)

Sujet 154 (10 août 2011) : Anonyme (récit ; Moyen Âge)

Sujet 155 (10 août 2011) : Lévesque, Raymond (poésie ; Québec Révolution tranquille) et Leclerc, Félix (poésie ; Québec 1970)

Sujet 156 (10 août 2011) : Duve, Pascal de (récit - Essai ; xxe siècle) et Dreuilhe, Alain Emmanuel (récit - essai ; xxᵉ siècle)

Sujet 157 (14 décembre 2011) : Laferrière, Dany (récit ; Québec Contemporain) et Senghor, Léopold Sédar (poésie ; xxᵉ siècle - Francophonie)

Sujet 158 (14 décembre 2011) : Danis, Daniel (théâtre ; Québec 1980-2000)

Sujet 159 (14 décembre 2011) : Flaubert, Gustave (récit ; xixᵉ siècle) et Zola, Émile (récit ; xixᵉ siècle)

Sujet 160 (21 décembre 2011) : Verlaine, Paul (poésie ; xixᵉ siècle) et Nelligan, Émile (poésie ; Québec xixᵉ siècle)

Sujet 161 (21 décembre 2011) : Dubé, Marcel (théâtre ; Québec Ruptures)

Sujet 162 (21 décembre 2011) : Mérimée, Prosper (récit ; xixᵉ siècle) et Balzac, Honoré de (récit ; xixᵉ siècle)

Sujet 163 (16 mai 2012) : Voltaire (récit ; xviiiᵉ siècle) et Leclerc, Félix (poésie ; Québec Révolution tranquille)

Sujet 164 (16 mai 2012): Chenelière, Evelyne de la (théâtre; Québec Contemporain)

Sujet 165 (16 mai 2012): Vian, Boris (récit; XXe siècle)

Sujet 166 (23 juin 2012): Noël, Marie (poésie; XXe siècle) et Ronsard, Pierre de (poésie; XVIe siècle)

Sujet 167 (23 juin 2012): Lavoie, Marie-Renée (récit; Québec Contemporain)

Sujet 168 (23 juin 2012): Travers, Mary (La Bolduc) (poésie; Québec Ruptures) et Dubé, Marcel (théâtre; Québec 1970)

Sujet 169 (8 août 2012): Léveillée, Claude (poésie; Québec Révolution tranquille) et Zola, Émile (récit; XIXe siècle)

Sujet 170 (8 août 2012): Dubé, Marcel (théâtre; Québec Révolution tranquille)

Sujet 171 (8 août 2012): Hampaté Bâ, Amadou (récit; Francophonie XXe siècle)

Sujet 172 (19 décembre 2012): Loranger, Françoise (récit, Québec Révolution tranquille) et Laberge, Marie (théâtre, Québec 1980-2000)

Sujet 173 (19 décembre 2012): Ronsard, Pierre de (poésie, XVIe siècle) et Nerval, Gérard de (poésie, XIXe siècle)

Sujet 174 (19 décembre 2012): Vigneault, Guillaume (récit, Québec contemporain)

Annexe 1b – Fréquence des auteurs

Auteurs	Occurrences
Baudelaire, Charles Dubé, Marcel	9
Maupassant, Guy de Tremblay, Michel	8
Hugo, Victor	7
Molière Nelligan, Émile	6
Roy, Gabrielle	5
Leclerc, Félix Prévert, Jacques Saint-Denys Garneau, Hector de Zola, Émile	4
Balzac, Honoré de; Bessette, Gérard; Daudet, Alphonse; Flaubert, Gustave; Grignon, Claude-Henri; Guèvremont, Germaine; Laberge, Marie; Lamartine, Alphonse; Loranger, Françoise; Mérimée, Prosper; Pagnol, Marcel; Ronsard, Pierre de; Vigneault, Gilles.	3

Blais, Marie-Claire; Brel, Jacques; Camus, 2
Albert; Chenelière, Evelyne de la; Dor,
George; Duras, Marguerite; Fortin, André;
Garneau, Michel; Gautier, Théophile;
Grandbois, Alain; Issenhuth, Jean-Pierre;
La Fayette, Mme de; La Fontaine, Jean de;
Langevin, Gilbert; Languirand, Jacques;
Miron, Gaston; Montherlant, Henry de;
Morency, Pierre; Mouawad, Wajdi; Musset,
Alfred de; Nerval, Gérard de; Pennac,
Daniel; Proulx, Monique; Ringuet; Sand,
George; Thériault, Yves; Verlaine, Paul; Vian,
Boris; Vigneault, Guillaume; Voltaire.

Anonyme (le fabliau médiéval « Le paysan 1
médecin »); Anouilh, Jean; Apollinaire,
Guillaume; Archambault, Gilles; Aude;
Aymé, Marcel; Balzano, Flora; Barbeau,
Jean; Barrette, Jacqueline; Beauchemin, Yves;
Beauvoir, Simone de; Bissoondath, Neil;
Bombardier, Denise; Bourgault, Pierre; Buies,
Arthur; Carco, Francis; Carrier, Roch; Chen,
Ying; Ciam, Gabrielle; Colette; Daigle, Jean;
Danis, Daniel; De Noailles, Anna; Delisle de
la Drevetière, Louis-François; Desbordes-
Valmore, Marceline; Despentes, Virginie;
Desrochers, Alfred; Desrochers, Clémence;
Dreuilhe, Alain Emmanuel; Ducharme,
Réjean; Dupré, Louise; Duve, Pascal de;
Éluard, Paul; Émond, Bernard; Ernaux, Annie;
Favreau, Marc (Sol); Ferland, Jean-Pierre;

Ferré, Desrochers, Clémence; Dreuilhe,
Alain Emmanuel; Ducharme, Réjean; Dupré,
Louise; Duve, Pascal de; Éluard, Paul;
Émond, Bernard; Ernaux, Annie; Favreau,
Marc (Sol); Ferland, Jean-Pierre; Ferré, Léo;
Fréchette, Louis; Gary, Romain; Gélinas,
Gratien; Giguère, Roland; Giono, Jean;
Girard, Rodolphe; Hampaté Bâ, Amadou;
Harvey, Jean-Charles; Hébert, Anne; Hémon,
Louis; Holder, Éric; Huston, Nancy; Ionesco,
Eugène; Jardin, Alexandre; Julien, Pauline;
Kattan, Naïm; Kessel, Joseph; Kokis, Sergio;
Laberge, Albert; Laferrière, Dany; Lapointe,
Gatien; Lavoie, Marie-Renée; Lepage, Roland;
Léveillée, Claude; Lévesque, Raymond;
Mallarmé, Stéphane; Marivaux; Martel, Yann;
Mavrikakis, Catherine; Meunier, Claude et
Louis Saia; Micone, Marco; Montesquieu;
Mouthier, Maxime-Olivier; Neruda, Pablo;
Noël, Marie; Nokan, Charles; Nothomb,
Amélie; Nouveau, Germain; Orwell, George;
Pedneault, Hélène; Pelletier, Pol; Pérec,
Georges; Philipe, Anne; Pilon, Jean-Guy;
Poulin, Jacques; Proust, Marcel; Queneau,
Raymond; Rimbaud, Arthur; Romains, Jules;
Rousseau, Jean-Jacques; Saint-Exupéry,
Antoine de; Sartre, Jean-Paul; Savard, Félix-
Antoine; Schmitt, Éric-Emmanuel; Senghor,
Léopold Sédar; Soucy, Gaétan; Travers, Mary
(La Bolduc); Trudel, Sylvain.

Annexe 1c – Fréquence des genres et des périodes

Récit	108
Poésie	84
Théâtre	54
Récit?	5
Récit – essai	3
Récit – poésie	2 fables de La Fontaine
Lettre (essai)	2
Théâtre – poésie	1 monologue de Sol
XIXe siècle français	55
XXe siècle français	45
Québec 1980-2000	40
Québec Ruptures	26
Québec 1970	19
Québec Contemporain	14
Québec Révolution tranquille	18
Québec Terroir	12
XVIIe siècle français	11
XVIIIe siècle français	6
XXe siècle francophonie	5
Québec XIXe siècle	2
XVIe siècle français	2
XXIe siècle français	2
Moyen Âge	1

Remarques

On peut penser que, puisque Molière est parmi les auteurs les plus présentés, il est important que les élèves voient les caractéristiques du classicisme du XVIIe siècle pour être prêts pour l'épreuve. Eh non.

Ça ne nuit pas de connaître le XVIIe siècle – mais pour l'Épreuve ? Sur 174 sujets, 10 ont présenté un auteur du XVIIe siècle : six fois Molière ; La Fontaine et Mme de Lafayette, deux fois chacun. Pas de Corneille, pas de Racine, ni de Boileau, de La Rochefoucauld, de Pascal, de Madame de Sévigné ou de Perreault. Donc juste des œuvres qui rassurent les élèves, parce qu'il ne faudrait surtout pas que la difficulté réside un peu dans le texte.

Le XVIIIe siècle ? Les Lumières ? Connais pas. Deux fois Voltaire, une fois Rousseau, une fois Marivaux, une fois Montesquieu (quand même !) et une fois de la Devretière, que je ne connais pas. Jamais Beaumarchais, jamais Diderot, jamais plein d'autres. C'est tellement mineur comme période du développement de la pensée contemporaine ! (Et si le ministère proposait un texte philosophique ? Ça ne serait pas intéressant ?)

Quant à la littérature québécoise du XIXe siècle, le MELS donne raison à Durham, elle n'existe pratiquement pas : deux textes. Au moins, celle du XXe siècle est bien représentée : pour 133 textes québécois de cette période, il y en a 120 français et 5 de la francophonie (il se peut que ma négligence ait rendu Français quelque Belge ou Suisse, *mea culpa*). Mais Anne Hébert n'y figure qu'une fois. Et Réjean Ducharme aussi.

De toute manière, le contexte, ça ne sert à rien – pourquoi nous bâdrons-nous à donner des cours d'histoire littéraire ? Les élèves n'ont pas à faire de mise en contexte du texte qu'ils choisissent, ils n'ont pas à posséder des connaissances au sujet de la période traitée (« connaissances » : j'entends frémir les pédagogues bureaucrates) : ça n'est qu'un boni s'ils sont capables de dire que Molière a vécu sous Louis XIV. Pis Tremblay, tout le monde sait c'est qui. Alors *go* Tremblay, Baudelaire et Maupassant : on n'a qu'à enseigner ces trois auteurs-là et les élèves seront en terrain connu à l'Épreuve !

En littérature, il y a plusieurs approches pour analyser un texte, mais en général, il est important de replacer l'œuvre dans son contexte pour mieux la comprendre. Les sociologies de la littérature, les études d'intertextualité, la poétique des genres ont besoin d'une analyse contextuelle. Mais le MELS s'en fout, il ne considère comme importante que l'analyse thématique des œuvres, parce que c'est celle qui entre le mieux dans la recette (indigeste) qu'ils veulent faire gober aux élèves.

Annexe 1d – L'Épreuve de langue anglaise

Lorsque je suis allé me promener sur le site web du ministère, je n'ai trouvé que peu d'informations sur l'Épreuve uniforme de langue anglaise (*Ministerial Examination of College English*). Et celles que j'ai trouvées me laissent perplexe.

D'abord, voici la consigne générale : « *Students have four hours in which to read the three texts provided and write a formal essay of 750 words about one of them.* » Ça commence bien : 900 mots en français (échec sous 700 mots), 750 en anglais (échec sous 600 mots) ; deux poids, deux mesures.

Je n'ai pas trouvé de liste des questions. La raison est bien simple : il n'y en a pas. (Je n'ai pas trouvé la liste des textes de référence non plus, mais je sais qu'il y en a.) Les élèves reçoivent trois textes, en choisissent un et font un essai sur le texte. Comme ils le veulent. Ils peuvent probablement faire une simple analyse littéraire, comme nous leur en faisons faire en 101, et ne sont pas obligés de prendre un point de vue critique sur l'œuvre. Euh… c'est pas mal plus facile !

Mais bon, je suis las de tous ces commentaires pour montrer à quel point l'épreuve est désuète. Je m'ennuie moi-même.

Bibliographie

« Historique de la nouvelle "grammaire" : ses origines, ses visées », dans *Centre collégial de développement de matériel didactique*. [En ligne]. http://ccdmd.qc.ca/carrefour/faq/faq00.html. Consulté le 21 février 2012.

« *L'Histoire nationale négligée* », dans *Fondation Lionel-Groulx*. [En ligne]. http://www.fondationlionelgroulx.org/L-histoire-nationale-negligee-L.html. Consulté le 16 octobre 2011.

« Info Apprendre », dans *Fondation pour l'alphabétisation. [En ligne].* http://www.fondationalphabetisation.org/reference/info_apprendre. Consulté le 31 décembre 2011.

« Le gouvernement du Québec encourage la formation continue », dans *Semaine québécoise des adultes en formation.* [En ligne]. http://www.adulteenformation.com/2011/03/le-gouvernement-du-quebec-encourage-la-formation-continue/. Consulté le 31 décembre 2011.

Abdallah, Akli Aït, « Enseigner l'histoire au Québec », Radio-Canada, 16 octobre 2011, 15 min. 17. [En ligne]. http://www.radio-canada.ca/emissions/dimanche_magazine/2011-2012/archives.asp?date=2011-10-16.

Brouillette, Xavier, « À la recherche de l'intelligence perdue », *Le Devoir.* [En ligne]. http://www.ledevoir.com/societe/

education/324919/libre-opinion-a-la-recherche-de-l-intelligence-perdue. Consulté le 7 juin 2011.

Collectif, *Manifeste pour une école compétente*, Québec, Presses de l'Université du Québec, 2011, 152 p.

Collectif, « Réponse au Manifeste pour un Québec éduqué – Vous n'êtes pas de petits "morveux" qu'il faut "moucher" », *Le Devoir*. [En ligne]. http://www.ledevoir.com/societe/education/324975/reponse-au-manifeste-pour-un-quebec-eduque-vous-n-etes-pas-de-petits-morveux-qu-il-faut-moucher. Consulté le 1er avril 2012.

Durocher, Sophie, « Lucien Francoeur se vide le cœur », *Le Journal de Montréal*. [En ligne]. http://www.fr.canoe.ca/divertissement/celebrites/entrevues/2011/05/23/18180746-jdm.html. Consulté le 1er avril 2012.

Farhoud, Abla, *Jeux de patience, Montréal, VLB Éditeur, 1997, 80 p.*

Ferland, Guy, « *Adapter l'école aux jeunes de la génération C* », *La Presse*. [En ligne]. http://www.cyberpresse.ca/opinions/201106/16/01-4409903-adapter-lecole-aux-jeunes-de-la-generation-c.php. Consulté le 4 octobre 2011.

Murchison, Ian, « Enseignement au collégial - Les nouveaux demi-civilisés », *Le Devoir*. [En ligne]. http://www.ledevoir.com/societe/education/324828/enseignement-au-collegial-les-nouveaux-demi-civilises#409834. Consulté le 1er avril 2012.

Simard, Marc, « La *mythistoire nationaliste: une vision réductionniste* », *La Presse.* [En ligne]. http://www.cyberpresse.
ca/debats/opinions/201110/14/01-4457362-la-mythis-
toire-nationaliste-une-vision-reductionniste.php.
Consulté le 5 mars 2012.

Hc
hamac-carnets

Dans la même collection

H
hamac

Dans la collection Hamac

Tous les livres de Hamac sont imprimés sur du
papier recyclé, traité sans chlore et contenant 100 % de fibres
postconsommation, selon les recommandations d'ÉcoInitiatives
(www.oldgrowthfree.com/ecoinitiatives).
En respectant les forêts, Hamac espère qu'il reste
toujours assez d'arbres sur terre pour accrocher des hamacs.

**PROTÉGEONS
NOS FORÊTS**

CET OUVRAGE EST COMPOSÉ EN WARNOCK CORPS 11,5
SELON UNE MAQUETTE RÉALISÉE PAR PIERRE-LOUIS CAUCHON
ET ACHEVÉ D'IMPRIMER EN AOÛT 2013
SUR LES PRESSES DE L'IMPRIMERIE MARQUIS
À MONTMAGNY
POUR LE COMPTE DE GILLES HERMAN
ÉDITEUR À L'ENSEIGNE DU SEPTENTRION